U0110342

7 西晉～南北朝 [注音本]
西元265～588年

全新 吳姐姐講歷史故事

吳涵碧◎著

目錄

【第155篇】

賈后與八王之亂。

在上一回『楊皇后與小楊皇后』之中，曾說到晉武帝臨終時遺詔，由楊皇后的父親楊駿和汝南王司馬亮共同輔政。結果，楊駿故意隱藏了武帝的詔書，一手把持天下。

楊駿也曉得自己無才無德，又沒有威望，實在沒什麼人願意信服。他爲了收買人心，就要到處封官加爵。武帝剛去世不久，皇帝大崩，向來是全國戴孝的，於是有人勸阻楊駿：『古來哪有帝王去世，臣下論功加封的呢？』楊駿不聽，朝廷上下亂成一團。

晉惠帝司馬衷本來就傻傻楞楞的，當了皇帝，大權旁落，他不生氣也不在意，可是他的妻子——賈后卻不能忍耐了。

賈后一向對政治抱有濃厚的興趣，但上有楊太后，下有楊駿，她插不進手，因此把楊家父女視為眼中釘，肉中刺。最後，賈后的兇腦筋動到了聯合楚王司馬瑋的身上。

於是，年少氣盛，暴戾兇狠，駐守荊州的楚王瑋，勾結了宦官，以楊駿謀反為名義，發動了政變。

楊駿得到宮廷內變的消息，十分緊張，召集同黨開會討論，有人建議：『放火把宮中雲龍門給燒了，然後趁鬧哄哄的時候，擁立皇太子為帝，不

怕對付不了。』

平常一向陰狠的楊駿遲疑了半天，囁嚅的說：『魏明帝造此宮，花了不少錢，燒掉不太好吧。』正在這時，大兵湧入，楊駿府中燒起熊熊大火，各個閣樓上都站滿了神射手，對準大門，拉滿弓矢，等著楊家的人去送死。楊駿無處可逃竟然躲入馬廄，慘死在亂刀之下。

賈后恐怕楊太后會設法營救父親楊駿，命人日夜守候在太后宮外。果然，不久賈后的心腹發現太后從宮中射出一卷帛書，上面寫著『救太傅者有賞』，賈后就以此作爲『太后與楊駿同謀反』的證據，把婆婆楊太后關入了大牢，廢爲庶人（庶人是平常的百姓之意）。

當年，賈后善妒，晉武帝準備將她打入冷宮——金墉城。後來因爲楊太后的說情才饒了賈后，賈后非但不知感恩，如今竟把楊太后打入了金墉城。

即使如此，心腸惡毒的賈后還不肯罷休，連楊太后的母親龐氏也不肯放過。楊太后哭著跪下來向賈后求情，甚且以太后之尊稱自己爲『妾』，賈后依舊殺掉了白髮皤皤的龐氏。

楊太后被關進了金墉城，最初賈后還撥了十幾個侍婢供她使喚。以後賈后撤銷了侍女，連日常膳食也中斷了，可憐的楊太后活活被餓死，死時才三十四歲。賈后壞事做多了，難免疑神疑鬼，她老是擔心，楊太后會向陰間的晉武帝訴冤，那麼，晉武帝的鬼魂會來找賈后算帳。所以賈后從巫婆那兒弄來符咒、藥物蓋在楊太后的屍體上。

這一次賈后發動的政變死了數千人之多，當時有一個太學生聽説惡媳婦逼死婆婆的事後，長嘆一聲：『哎！世界無道，怕要天下大亂了。』

果然，賈后前與楚王司馬瑋合謀殺了楊駿，一不做二不休，又合謀殺了汝南王司馬亮，然後，賈后反過來把楚王司馬瑋殺掉。此時趙王司馬倫不滿意賈后，也出兵爲亂，攻入京城，殺掉了賈后。

此後亂事愈牽扯愈多，從賈后殺掉楊駿（元康元年）到東海王司馬越病死（永嘉五年），整整二十年間司馬氏家族互相砍殺，史稱『八王之亂』，其實絕不止八王，這八個只是比較重要的。

爲什麼晉初的『八王之亂』骨肉相殘會演變得這樣慘呢？原來晉武帝初得天下的時候，東吳沒有平定，再加上領土廣大，交通不便，晉武帝大封同姓子弟爲王，給他們土地、人民、甲兵，希望這些宗室能作爲朝廷的屏障，萬萬沒有料到兄弟們竟依仗著雄厚的力量火併。

自從八王之亂開始，西北的羌人也不安定，同時又連年發生水災，老百姓的生活痛苦不堪，晉惠帝還是不改他的昏愚。

有一天，一個臣子向他報告百姓餓死，甚至人吃人的慘事，他搖著頭說：『可憐喲，許多人已好久沒有嘗過米飯的味道了。』

『哦？沒有飯吃？』惠帝奇怪的問：『他們爲什麼不去吃肉糜（就是肉粥）？』

晉惠帝平日最好吃肉糜，所以才有此一問。他哪裡曉得，一般百姓逢年過節才有點肉絲可塞牙縫，現在鬧饑荒，能活下去就不錯了，怎麼還敢想吃肉？這也說明晉惠帝生在深宮中，根本不明白百姓的疾苦。

惠帝就是如此癡呆。難怪晉朝才傳到第二代，交到他手裡，國家元氣已大傷了。從八王之亂的故事我們發現，中國人說『家齊而後國治』是很有道理的，晉朝皇帝的家務一塌糊塗，兒子呆笨，媳婦亂來，宗室跋扈，國家難怪一蹶不振。

閱讀心得

【第156篇】小小女英雄——荀灌。

八王之亂，惠帝一籌莫展，百姓痛苦萬分，這些都是意料中事，早在晉武帝選中司馬衷（惠帝）爲太子時，朝臣們已憂心忡忡，因爲司馬衷出奇的笨。

其中有個叫衛瓘的大臣幾次想上奏廢太子，話到口邊又忍下來，因爲這不能隨便亂講的，搞得不好，腦袋可要搬家的啊。一次，武帝在凌雲臺賜宴，宴會完畢，衛瓘假裝喝醉了，跪在武帝的床前說：『臣有話稟奏。』

武帝問：『你想說什麼啊？』『我……』『我……』衛瓘一連說了三次，還是不敢說。最後，用手撫著龍床道：『這張床可惜了。』

武帝一聽，心裡自然有數，擔心衛瓘再講下去不好看，連忙喝止道：『你恐怕酒喝多了吧？』衛瓘從此不敢再提廢太子的事。

惠帝即位以後，果然不是一塊當君王的材料，再加上連年旱災，蝗蟲爲虐，到處鬧饑荒，到了人吃人的地步，許多父母養不起小孩，只有忍痛賣掉。惠帝元康七年竟下了一道詔令：『骨肉相賣者不禁。』就是准許父母出賣自己的子女。

一些災荒特別嚴重地區的居民，只有棄家逃難，可是鄰近地區的光景也不好，只有逃亡到更遠的地方。當他們初離本土之時，身上或許還帶有

少許錢財，經過幾次逃亡以後，口袋裡空空如也，老的、弱的禁不起輾轉流離之苦，一個一個死了，留下年輕力壯的，沒有了生路，加上滿肚子的怨氣，只有當土匪。

中國人向來愛好和平，在太平盛世誰都不願當盜賊。而且我們自古有個觀念，看重『家世清白』，一個人再窮都沒有關係，人窮志不窮。可是，萬一哪家出了一個土匪，表示家世不清白，將會禍延子孫，被人瞧不起，這也是維繫社會安定的一個力量。

如今，晉初的饑民可說是被逼上梁山，家裡的人餓死了，自己也不容易活下去，於是，只好丟棄『禍延子孫』的想法，把心一橫，當盜賊去了，到處攻城剽邑，殺人放火。

到了後來，盜賊的勢力愈來愈大，全國各地都不安寧。襄城是古來比較富庶之區，自然也是盜賊心目中的好目標。有個姓曾的強盜，把襄城團團圍住。

當時襄城太守荀崧，是晉初有名望的讀書人，他率領官員百姓死守城池已有數月之久，眼看著糧食馬上要吃光了，城外的盜賊仍虎視眈眈，心裡頭很著急。

於是，荀崧召集襄城的文武官員開會商討，討論來、討論去，大夥兒皺著眉頭，大眼瞪著小眼，一片茫然。

『有了！』荀崧說：『我有一個朋友，名叫石覽，駐守在大約一百里外的地方，如果向他求援，我想他會答應的。』

『那麼誰去送這個消息呢？』其中有一個官員發問道。

立刻有人接口道：『對啊，一出城門，外面就是土匪，豈不是死路一條，太危險了。』

『是啊，太危險了！』眾人都縮著頭，大廳上又呈現一片死氣沉沉。

『沒有自告奮勇的人嗎？』荀崧向大家發問。沒有人回答，四周靜悄悄的，襄城的命運實在危險。

忽然，從大廳後面竄出一個女孩，拉著荀崧的衣袖說：『爸爸，沒有旁人去，不如我去！』

所有的文武官吏都瞪大了眼睛。

『灌兒，不許胡鬧，我們在談正經事。』荀崧嚴肅地喝斥。

「我才不胡鬧，我願意出城向石伯父求援。」荀灌雙手扠著腰，帥氣十足。

文武官員交頭接耳，議論紛紛。有一個人高聲反對：「向石將軍求援是件大事，我們豈能把全城性命交給一個十三歲的小女孩？」

「好，我不去。」荀灌也提高了聲音：「你們誰願意去，趕快站出來。你們個個都不敢去，又不相信我，那麼，只有等土匪攻破襄城，誰也活不了。」

「各位，」荀崧下了決定：「灌兒說得也有理，事到如今，我們不能束手待斃，只能讓灌兒一試了。」

於是，這天夜晚，荀灌穿了緊身黑色勁裝，帶了刀箭，準備出發。荀崧交代：『這是給石覽將軍的信，千萬藏妥，一切小心，我挑了幾十名壯士隨你突圍，你好自爲之。』

『爸爸放心。』荀灌叩了三個響頭，堅毅地說：『等我的好消息。』

『灌兒，』荀崧眼眶濕了：『我眞是捨不得讓你去冒險，你要記著，別逞強，小心保護自己。』

『孩兒會牢牢記著。』

荀灌不敢再看父親依依不捨的表情，快步上馬，勇往直前。她帶領幾十名勇士，希望趁著黑夜，避開匪徒的包圍。可惜，一出門，匪徒立刻發現，雙方展開激戰，戰鬥之中，荀灌帶去的勇士犧牲了不少。荀灌年紀小，行動快，由於她平日喜歡騎快馬，又對附近地形十分熟悉，一溜煙地逃入魯陽山，甩掉了匪徒的跟蹤。

荀灌翻山越嶺，快馬加鞭，終於到達石覽將軍的基地，呈遞了求救信。

石覽對荀灌說：『我願意幫忙，可是兵力不足，得請南中郎將周訪協助。』

『我用家父的名義向周伯伯求援。』荀灌允文允武，立刻濡筆寫信。

周訪接到快信，命兒子周撫帶三千人馬與石覽的兵力會合，共同營救襄城。

土匪聽說了消息，自知不敵，沒等到大軍前來，自動撤退了襄城附近的隊伍。

石覽與荀灌神氣地騎馬入城，襄城百姓都圍在城門，瞻仰這漂亮的小小女英雄。

荀崧熱情地握著石覽的手：『謝謝石兄搭救。』

石覽笑道：『該謝謝你的寶貝女兒。』

荀崧嘉許地摸摸荀灌的頭：『灌兒眞勇敢。』

閱讀心得

【第157篇】

永嘉之禍與祖逖。

八王之亂，是中國歷史上封建宗室之亂中規模最大、時間最久、牽涉最廣的一次骨肉之禍，整整大鬧了二十年，中央和地方的政治及社會秩序完全破壞。由於八王之亂又引發了外族在境內的動亂，其中勢力最大的是匈奴、鮮卑、羯、氐、羌等五族，史稱『五胡亂華』。

就在這個時候，邊疆的胡人乘機作亂，永嘉五年，匈奴兵攻進了首都洛陽，俘虜了晉懷帝（惠帝已被東海王越毒死，懷帝是他的弟弟）。匈奴兵殺了太子、諸王、百官達三萬人之多，造成歷史上的慘劇，歷史上稱之爲『永嘉之禍』。

晉懷帝被俘虜了以後，有一天，匈奴王劉聰在光極殿請客，命懷帝穿著破破舊舊的青衣，一一的爲客人斟酒。晉朝的舊臣庾珉等看了心酸，悲憤得嚎咷大哭，使得劉聰非常厭惡。哭聲表示人們心目中還思念晉朝，萬一日後再擁立懷帝就不妙了，因此劉聰一不做二不休，殺掉了懷帝及庾珉等人。

懷帝被殺以後，晉朝的臣子擁立愍帝在長安即位，不久也被匈奴擊敗，西晉就正式滅亡了。這時西晉大批的貴族、百姓，紛紛遷往江東，造成一次民族大遷移，歷史上稱之爲『衣冠南渡』。

竹林七賢的放蕩作風是西晉人所羨慕的，這七個人雖然在西晉時代都已死去，他們留下來的頹敗風俗卻隨著名流渡江而南下。因此當瑯琊王司馬睿（晉元帝）在建業建立東晉時，已注定了東晉失敗的命運。

東晉的士大夫放蕩縱慾，沒有責任感，卻自以爲清高脫俗，但在亂世之中竟也有愛國的『俗人』——祖逖。

祖逖小時候家裡環境很不錯，祖上留有不少田財，他爲人慷慨大方，極關心鄉里貧苦的鄰居，經常拿出稻穀衣帛周濟貧苦，很得到鄉黨同族的敬重。

長大以後，祖逖博覽書籍，時常往來京師之間，看到他的人都說他英氣勃勃，日後當有一番作爲。

祖逖和劉琨都是司州主簿，兩人很談得來。當時的年輕人在一起都喜歡說些玄妙的怪理，研究如何使皮膚白嫩的妙法，完全一派娘娘腔。祖逖和劉琨可不，他們具有男子氣概，經常討論國家大事，對世局的混亂非常憂心。

一天，他倆同被共寢，忽然聽到荒野中傳來『喔喔』雞鳴，祖逖一脚踢開了棉被，叫醒了劉琨：『起來吧，讓我們來練練身體，以備日後報國之用。』

於是，他二人拿著劍，對著寒風，起勁的舞起來，從此天還未亮，只要公雞一叫，他們便聞雞起舞，有人笑他們『神經病，在被窩多待一會不好嗎？』庸碌凡俗的人怎能了解他二人的雄心壯志？

過了不久，京師大亂，祖逖率領了數百家親戚朋友往淮泗避難，一路上祖逖把車馬都讓給同行老弱，自己徒步而行；藥材、衣物、糧草也毫不吝嗇的與衆人分享，大家感激得說不出話來。逃難途中遇到不少土匪，祖逖都好心的收留他們，待他們像子弟一般親切。許多人不以爲然，警告祖逖：『當心這會損害你的名譽！』祖逖完全不以爲意，他說：『土匪也是被逼的，他們又何嘗願意當土匪？』

這時候，瑯琊王司馬睿剛在江南即位，他就是晉元帝。晉元帝的得位，完全是時勢所造成的，依靠祖宗的門蔭而得到的，能保命已經不錯了，哪兒還想得到北伐統一？

祖逖本著一腔熱忱對晉元帝說：『西晉的滅亡，並不是由於君主的暴虐引起人民的反叛，而是因爲諸王彼此相鬥，使得戎狄乘機而入。現在北方的人民都不滿胡人的統治，如果皇上讓我爲統帥，率兵北伐，我相信一定可以湔雪國恥！』

一方面晉元帝根本沒有北伐心意，他只想偏安江南；另一方面過江的百姓沒有報户口，政府沒法子抽稅，租稅是隨意樂捐，也找不到壯丁當兵。財政困難加上軍隊缺乏，晉元帝只得任命祖逖爲豫州刺史，勉強給了祖逖一千人的糧食，三千疋布，也不給鎧仗，讓他自己去設法。

換了別人可能知難而退，但祖逖是一個有毅力的人，他率領了家鄉部曲渡江北上，船開了一半，祖逖拿著楫發誓說：『祖逖要是不能清中原得到勝利，那我便如江水一去不返。』表現了視死如歸的心願。同伴們也知此去是明知不可能成功，還要拚死一戰，個個都慨嘆不已。

祖逖渡過長江，在黃河以南與羯族領袖石勒發生激烈戰爭，由於祖逖獲得河南地區許多塢堡主人的擁護，他的勢力逐漸擴大。

所謂塢堡是五胡亂華之時，晉室南遷，留在長江以北的漢人，爲了自保，不被胡人殺戮，而建築防禦性的城堡，塢堡內有自己訓練的軍隊，也從事糧食生產，所以很有力量。

黃河以南的地區大部分被祖逖收復。石勒也很佩服祖逖的領導能力，特別下令替祖逖的母親修墓（祖逖的老家被石勒控制）。

祖逖整軍經武、安撫百姓，和胡族苦戰了八年，戰果輝煌，正準備指揮兵渡過黃河，繼續北伐，不料，晉元帝忽然派遣戴淵爲都督，坐鎮淮陰，命令祖逖要受戴淵指揮。戴淵在江南雖有名望，但完全沒有軍事能力，更沒有積極進取的企圖心，祖逖覺得十分失望。同時，又聽說京師（南京）之內大臣不和，明爭暗鬥，恐怕會變成內亂，祖逖身在前線，憂心忡忡。

在焦慮煎熬之下，祖逖生了重病，祖逖自知不久於人世，望天長嘆：『我正準備渡過黃河，收復河北，老天爺卻要我死，眞是不保佑我們國家啊。』

不久，祖逖去世，只有五十六歲，河南地區人民如喪考妣，哀痛極了，還爲祖逖建了祠堂，供後人瞻仰。

閱讀心得

【第158篇】

西晉亡於無恥。

西晉僅僅傳了短短五十二年就滅亡了，除了政治敗壞以外，最主要的原因是風俗頹唐、毫無廉恥之心。

例如王衍是西晉時代響叮噹的人物，被人們仿效的對象，卻是『男無氣節』的代表。

王衍的相貌清秀，風姿安詳閒雅，是人們心目中的美男子。有次竹林七賢之一的山濤看到王衍，驚爲天人，酸溜溜的說：『是什麼人能生出這樣的美人，但是誤盡天下蒼生的，未必就不是他！』

小楊皇后的父親楊駿曾經想把他的一個女兒嫁給王衍，王衍竟然不肯。晉武帝曾問王戎：『當代之中誰可和王衍相比？』王戎答：『沒有人能比得上他，要比只有從古人中去尋找了！』這一比把王衍的身價抬得更高了。

王衍有才名又有美貌，他十分得意，自比爲孔子的學生子貢，喜歡談一些虛幻的道理，老莊的哲學，也就是時髦的清談。

王衍清談，特別引人注目。爲什麼？因爲他太俊美了。美到什麼程度？據晉書上記載，西晉人清談時，喜歡手上拿著一支拂塵，邊說邊甩，長長的流蘇一晃一晃，把人襯托得有如神仙般飄逸。而王衍皮膚細白，和拂塵

的玉柄是一個顏色，遠看簡直分辨不出玉柄和玉手。西晉人士最崇拜小白臉，王衍又白又嫩，所以普受歡迎。

清談的人都是口談浮虛，不遵禮法，當然也沒有什麼做人做事的原則，王衍就是這樣，遇到情勢不對，立刻見風轉舵，投機討好，絕對不堅持立場和原則，當然，更談不上正直與正義。社會上一般青年都很羨慕王衍，也學他的浮華放蕩。

王衍的妻子郭氏，是賈后的親戚，藉著這層關係，奢侈貪鄙，愛錢如命。王衍自命淡泊，從來不肯碰錢。

一天，郭氏爲了試驗王衍，趁他睡覺時，命婢女把錢繞著床圍成一圈，讓王衍通不過，非碰錢不可。王衍早晨起來看到錢，氣得對婢女說：『快把這些阿堵物拿走！』連『錢』這個字眼都不肯講！王衍本身不貪汙，但坐視妻子大收紅包，似乎也說不過去。

後來，胡族來攻，洛陽城危在旦夕，大家紛紛避難！王衍卻把車、牛統統賣掉，表示絕不遠逃，這不是王衍要為晉朝盡忠，與洛陽共存亡，原來他另有安排：

胡人石勒起兵作亂，俘虜了王衍，由於王衍名氣很大，石勒召見王衍，詢問晉朝的事情，王衍將晉朝衰亂情由說給石勒聽。

石勒極有興趣，便問王衍：『你身為晉朝太尉，怎麼使國家亂到這個地步？』

王衍胸有成竹，從容不迫的回答：『我不過備位而已，朝廷裡大小政事都由親王掌理。至於論到晉朝危亂，這是天意，天意要石將軍當皇帝！』王衍自以爲馬屁拍到家，含笑望著石勒。

沒料到石勒掀鬍獰笑道：『瞧，你年紀輕輕就在朝廷當官，到了年紀大時，身居重任，名揚四海，還說自己不過備位而已，天下大亂，就是你們這些混蛋搞出來的！』

這番話說得王衍啞口無言，他雖然身居要津，從來却不負責任，任由部下胡作非爲，王衍引以爲榮，沒想到被石勒指爲罪名。

石勒嫌王衍討厭，無大丈夫之氣，把王衍和一羣俘虜趕到房間中監禁起來。然後叫兵士合力把牆推倒，所有的人都被活活壓成肉餅。王衍在臨死前後悔的說：『我們雖比不上古人，但如果不慕浮虛，實實在在治理天下，也不會到今天這個地步了。』

王衍是『男無氣節』的代表，讓我們再看看東晉時代『女無貞良』的風氣：

八王之亂發生不久，趙王司馬倫殺掉了賈后，惠帝另立羊氏爲皇后。

永嘉五年，胡人石勒打敗十餘萬晉軍，匈奴首領劉曜攻入了洛陽城，是爲『永嘉之禍』。劉曜進入內宮，一眼便瞧見如花似玉的羊皇后，羊皇后也立刻笑嘻嘻的迎上前去。

不久，劉曜當了皇帝，羊皇后也做了劉曜的皇后，再次榮登皇后寶座。

一天，劉曜好奇的問：『我比你前任的丈夫，那個姓司馬的如何？』

『皇上怎麼好與那個司馬蠢材相提並論？』羊皇后嬌嗔的白了劉曜一

眼：『陛下是開國聖王，那司馬蠢材連他自己、兒子和我三人都保不住。亂事發生以後，我簡直不想活下去了，哪曉得會有今天。哎唷，自從認識你以後，我才了解什麼叫大丈夫！』說著，不勝嬌羞的向劉曜靠去。

男無氣節，女無貞良，國家怎能不亡？

【第159篇】

王與馬共天下。

在講到東晉初年的政治時，我們常會聽到『王與馬共天下』這句話，意思是說王家的親族子弟和司馬氏（晉朝的皇帝姓司馬）共同掌有天下大權。王家的人如何能成為左右朝政的一股力量呢？這要從王導說起：在晉元帝尚未稱帝，還在當他的瑯琊王之時，王導便是瑯琊王的心腹謀臣。王導很有遠見，他早看出西晉不保，天下已亂，勸瑯琊王集結力量，興復國家。

當西晉最後一位皇帝愍帝被害的消息傳到江南以後。瑯琊王聽從王導的建議，改元稱帝，是爲元帝，建都於建業（後改稱建康，就是今天的南京）。

元帝即位以後一個多月，江南地方的人士竟沒有一個人上朝去拜見元帝，使元帝萬分尷尬。原來當地人早已習慣『天高皇帝遠』的生活，擁有一股本身的實力，對新上任的元帝不怎麼服氣，也不願意附和，王導爲此十分憂愁。

正好這個時候，王導的堂兄王敦來了，王敦是個大將軍，在江南一帶很有名氣。王導對王敦說：『皇上雖然有仁德之心，到底名望不夠，份量嫌輕。你如今威風凜凜，想請你幫個忙。』

於是，王導安排了一次遊行，這時剛好是陰曆三月三日去觀禊的日子，元帝神氣的坐在轎子上，很有帝王威儀，王敦、王導各騎著一匹駿馬，『達達達』緊緊跟著。後面還有一條長長的隊伍沿路敲敲打打，許多江南人紛紛跑出來看熱鬧，街上擠成一團。

本來不肯去朝見皇帝的仕紳紀瞻、顧榮這些有名的望族，看到元帝的風采，特別是後面那位王敦大將軍，是人們所熟悉的，便跪拜在道路兩旁，老百姓看到顧榮等人都如此尊敬元帝，也都紛紛拜倒在道旁。

王導又向元帝獻計：『古時的君王，莫不賓禮故老，虛心求教。現在天下喪亂，九州分裂，正是需要人才的時候，我們應該先爭取當地的望族才是。』於是，元帝派人把仕紳們請了來，曉以大義，從此百姓逐漸歸附，勉強維持住偏安的小康局面。

不久，洛陽淪入胡人之手，中原地方大批人民南渡，王導積極撫輯流亡，並且挑選其中賢人君子參與國事。

這時，有個叫桓彝的剛渡江，看到朝廷微弱，不像可以匡濟中原的樣子，非常失望，對他的朋友道：『我千方百計逃到這裡，沒想到就是如此局面，難成大事！』

可是，等到桓彝見過了王導，看到王導充滿信心，奮發積極，又改口道：『我好像見到春秋時代幫忙齊桓公建立霸業的管仲了，我不再憂慮了！』

這些自中原避難此處的人士，每逢佳節經常相邀在新亭飲酒聚餐，以敘愁悶。一次宴飲時，坐在首位的周顗長嘆一口氣道：『江南風景如畫，仍然和以前一般美麗，只是想起我們的大好河山！』說著眼淚都掉了下來，在座者想起故國，也紛紛舉起衣袖抹眼淚，心中都有說不出的悲哀。

其中只有王導立刻變了臉色，很生氣的指責：『我們應該各盡自己的力量，効忠國家，光復神州，如此「楚囚相對」是幹什麼？』

『楚囚相對』是左傳上的一個故事：晉侯在軍府，看到一羣人戴著脚鐐手銬，相對哭泣，滿臉無可奈何的徬徨樣兒，就問旁邊的人：『這些人是做什麼的啊？』旁人回答：『這是鄭國獻來的楚國囚犯啊！』以後，楚囚對泣被後人引用爲窘迫無計的意思。王導責怪這些過江人士，國家還沒有亡，倒像囚犯一般彼此唉聲嘆氣，實在罵得有理。

然而東晉受西晉清談的影響太深，沒有幾個人像王導般有熱情，有救國救民的理想，所以東晉始終國勢衰弱。

王導在朝中握有大權，他的堂兄王敦又被任命爲揚州刺史，更因討平蜀賊有功，聲威顯赫，控制著武昌上游。一時之間，王家的親族子弟，多半做到高官顯爵，簡直可以和皇室分庭抗禮，所以當時江東人有句諺語：『王與馬共天下』，造成日後天子無權，權在豪門大族的畸形政治。

閱讀心得

【第160篇】王導與王敦。

在晉元帝即位之初，他對王敦、王導兄弟非常信任，也因此才建立江左一個小康的局面。後來，王氏的威權日益升高，造成『王與馬共天下』的局面，元帝逐漸起了猜疑之心，王敦也露出了謀反的意圖。

王敦雖是中興名臣王導的堂兄，但個性與老成持重的王導大不相同，王敦娶了晉武帝的女兒襄城公主，官拜駙馬都尉，太子舍人。一向很有公子哥兒浪蕩不羈的派頭。

當東晉末年之時，臣子們喜歡比闊，其中鬥得最兇的是石崇和王愷。一次王愷請吃飯，王敦與王導兄弟都被邀請，酒宴之時，王愷命一羣女伎，在旁演奏音樂，以娛嘉賓，其中一名女伎不小心，吹的笛音稍稍走了調，任愷大發脾氣，認爲有失顏面，當場把女伎活活打死。在座的客人都看得心驚肉跳，很受不了如此待客之道，只有王敦依然笑聲朗朗，完全不當一回事。

過了沒幾天，王愷又請客，王敦兄弟再次赴約，王愷這次想出了一個新主意；他派了許多美麗的婢女去向客人敬酒，如果客人不乾杯，表示美女不夠體貼，沒有盡到責任，就要把美女殺掉。

由於有上次的例子，人們知道王愷說到會做到，爲了憐惜美女，大家

都是浮一大白，喝得杯底朝天，而且把杯子高高舉起在頭上繞一圈。

等到美女敬酒到王敦、王導的桌前。當美女笑盈盈的捧起金爵敬酒，王敦竟然故意把臉朝向別處，裝成不懂的樣子。

『大人，請。』美女一連敬了幾回，王敦還是一臉傲然動也不動。美女急了，眼圈紅了，所有的人都很緊張的望著，爲美女的性命捏一把冷汗。

坐在王敦身旁的王導著急萬分，他因爲自己向來不能喝酒，頻頻催王敦：

『快乾啊，快乾啊！』王敦還是不理，似乎存心要美女去死。

『哎呀，沒辦法。』王導急壞了，一把搶過酒杯，咕嚕咕嚕一乾而盡。喝完以後立刻醉得搖搖晃晃。

當王導踉踉蹌蹌回去以後，忍不住爲王敦的剛愎殘忍深深嘆息。

王敦的眼睛陰狠狠的，遠遠望去像一個黑黑的洞，潘滔有次見到王敦的目光冷酷無情，說了一句評語：『王敦的蜂目已露，只是豺聲未振，若不噬人，也當爲人所噬。』

果然，當王敦做了荊州刺史，統率了六州軍事，坐鎮上游以後，逐漸顯出了跋扈的本色。元帝爲了對付王敦，就起用劉隗做爲鎮北將軍，以防止上游軍隊的叛變。

這個時候，祖逖正在北伐，急需要後方支援，哪知道朝廷非但不能共禦外侮，反而正處心積慮防止內變，祖逖因此憂憤而死。不久，晉元帝也因而逝世，晉明帝即位。

明帝即位以後，內外大權幾乎都落入王敦之手，所幸王敦不久病重，王導突然在京師宣佈王敦已經去世，然後明帝下詔討伐王敦，平定了這一場亂事。

東晉好不容易撐起的局面，因爲一場王敦之亂，又走向衰敗的命運，然而王敦其人在當時仍是人們所羨慕的對象，他口不言財利，尤其喜歡清談，更能擊鼓，當他振起衣袖打起鼓來，音節諧韻，神氣自得，旁若無人，大家都誇一聲：『雄偉，爽利，好！』

由於西晉的風俗頹唐，對這些一揮千金的公子哥兒大家都很崇拜，所以誰有什麼豪舉無不津津樂道。

例如石崇喜歡以奢豪驕人，連廁所都佈置得美輪美奐，撒上甲煎粉、沉香汁，到處都是香噴噴的，另外還有十幾名國色天香的婢女伺候入廁。

不但如此，每有客人上一回廁所，石崇就叫婢女幫忙換一套新衣，客人都覺得不太好意思。

這些都反映了當時社會的奢靡、腐化和沒有朝氣，東晉在這種社會風氣之下，怎能夠北伐中原，收復失土呢？

閱讀心得

【第161篇】

八達荒唐的故事。

前面說過竹林七賢因爲他們的放蕩作風，影響了頹廢的風氣造成西晉的衰亡，到了東晉，清談玄風，愈演愈烈，從當時八達（八個通達的人）的小故事，我們可以看出東晉的社會風氣：

謝鯤是個好色之徒，他鄰家有個姓高的女孩長得花容月貌，謝鯤對她很感興趣，每次見到她總要講幾句輕薄話兒。

姓高的女孩對謝鯤極爲厭惡。一次謝鯤又死皮賴臉前去挑逗，嘴裡講些不乾不淨的話，把她惹火了，回去拿了織布用的梭，對準謝鯤射了過來，不偏不倚敲掉了謝鯤的兩顆門牙。

從此，『缺牙』成了謝鯤的標誌，鄰人都覺得好笑。謝鯤還驕傲的說：『這有什麼？不妨礙我長嘯唱歌。』說著又唱起來，頗以風流自豪，以『無齒』自許。

八達之中有的好色，有的貪財，但有一個相同的愛好，那就是喝酒。畢卓是吏部長，常因喝酒誤事。有次晚上又偷偷摸摸到了藏酒的甕間開懷暢飲，或許是喝得太高興了，咕嚕咕嚕驚醒了看酒的人。掌酒者把畢卓五花大綁綑了起來，生氣的說：『我說呢，甕裡的酒原來是你這小子偷的，難怪經常無緣無故的短少，明早再好好處置你。』

第二天一大早，天亮了，掌酒者也看清楚了原來偷酒的梁上君子竟是畢吏部，嚇得連忙鬆綁，再三賠罪。畢卓也不臉紅，繼續痛飲，直喝到酩酊大醉才離去。

畢卓曾經對人說：『我生平有一個大願望，裝滿一船的美酒，船頭船尾放上四時甘味，右手拿著酒杯，左手持著螃蟹大嚼，能夠如此，死了也甘心……。』

畢卓的心願贏得許多人的贊同，在他們看來天下最值得追求的正是美酒。因爲中國士大夫數百年來，受了禮教的拘束，沒有辦法一下子脫離禮教，變得浪漫狂放，而晉代的公卿大夫又非要得到狂放之名，表示自己不同流俗，只有藉酒壯膽，飲酒亂性。

八達爲了表現『放達』的美名，經常聚在一起喝酒，喝得昏天黑地，披頭散髮，然後脫光衣服，放浪形骸。

光逸有次去晚了，其他幾個人已喝了幾天幾夜，他想要加入，偏偏守門的不讓他進去。

急中生智，光逸在門外，脫光了衣服，把頭鑽在狗洞中汪汪大叫。胡毋輔之等聽到聲音，伸頭一望看到這種瘋狂鏡頭，胡毋輔之笑著拍手道：『這一定是光逸了，旁人絕對做不出這樣的事。』趕快開門把光逸請入。

光逸一進門，大家都笑著稱讚他：『眞有你的，如果不是我們八達，還做不出這等妙事。』然後飲酒作樂不捨晝夜。

因為當時的人都很羨慕八達的名聲，於是也學著八達的樣兒，希望打開知名度，王澄就是最好的例子。

八達動不動就喜歡脫光衣服，表示自己放達，而且自謂『復歸於嬰兒』，純潔又返歸自然。

王澄被任命為荊州刺史，將要上任之前，許多賓客前來道賀，王澄一看客人把房間塞得滿滿的，心想這個好機會不要輕易的放過了。

於是王澄到了門外，把上衣一件一件的脫去，脫光以後竟爬到樹上去了，客人們都看得目瞪口呆，接著王澄又把頭伸到鵲巢裡去張望，玩弄著巢裡的鳥蛋，一臉嚴肅的神情，好像自己在做一件了不起的大事，完全旁若無人。

王澄的舉動其實是幼稚無聊，但也是不顧禮教。當時，凡是敢做不顧禮教的事，都受到人們的喝采，所以，王澄裸體上樹玩鳥蛋的舉動可轟動了整個京師。人人爭著傳誦王澄脫衣上樹的故事。後來，王澄到了荊州當刺史，也是日夜縱酒，不理政事，這樣才稱得上時髦，其實是放蕩和不負責任。

中原大亂，元帝建立東晉後，一般人民不曉得臥薪嘗膽一雪恥辱，依舊仰慕謝鯤、王澄等人的狂放，甚且自暴自棄，努力的去追求個人的享樂，東晉的人還認爲貪汙納賄是應該的，是最好的致富之道。

在這種情況下，金錢成爲測定價值的最高標準，人格的高低，學問的深淺，才幹的有無都可以用金錢測定。當時有一個書生魯褒看到風俗貪鄙的現象，寫了一篇『錢神論』諷刺人們的愛財如命。

魯褒在文章中說：『錢之爲體，有乾坤之象，內則其方，外則其圓……親之如兄，字曰孔方。』古人的錢是一枚圓幣，中間有一個方洞，因此他戲謔的稱爲『孔方兄』，這也是今天我們把錢稱爲孔方兄的由來。

閱讀心得

【第162篇】

陶侃收集木屑。

東晉的政風頹廢，陶侃是晉代少數正直的官吏，今天我們來看看陶侃一些膾炙人口的小故事。

陶侃的父親很早就去世了，他和母親過著清苦的日子，和陶侃同郡的范逵素來有名聲，被選爲孝廉。一天，范逵到陶家來投宿，當時大雪紛飛，陶侃家中一無所有，窮得像個空空蕩蕩的破瓶子，而范逵的侍從、僕人加上馬車來了一大堆，拿什麼待客呢？

范逵的車馬近了，陶侃急得搓手嘆息，陶母沉著的説：『你只管放心去留客人，我自有法子。』

有什麼辦法呢？陶侃心裡想著，又不能變魔術啊。沒想到到了晚飯時，果眞變出一盤盤的珍饈美味，而且一連幾天，范逵和他的侍從都吃得眉開眼笑，摸著肚子叫好。

原來陶母情急之下，把她一頭烏黑油亮，直拖到地的頭髮剪了，拿去賣掉換了酒菜；砍了檯子做爲柴火；割了席子做爲馬草，這才供得起貴客。

後來，范逵曉得了，深感不安；同時，對陶侃的才思辯捷又萬分佩服。

到了范逵告別時，陶侃一路送行了百里之遙，范逵説：『已經很遠了，你

可以留步。』陶侃還是堅持再送一段。等到范逵到了洛陽，到處宣揚陶侃的美名。

因此，陶侃被舉爲孝廉，但因爲他出身寒微，東晉人多半是勢利眼，當陶侃到了洛陽去看張華，張華對他很不禮貌。他去拜望一位同鄉，同鄉竟羞辱道：『我怎麼能和小人同車？』

但是陶侃不爲惡劣環境所困，努力奮鬥，曾爲南蠻長史，破妖賊張昌之亂；繼爲江夏太守，平陳敏之亂；又爲國家立了很大的功勞，他在廣州之亂平定以後，政清無事，每天一大早起來，把一百塊大磚搬運到齋內，到了晚上又把磚搬回去。

旁人看了好生奇怪，問道：『陶刺史要搬磚，隨便派個小兵搬就可以了，何必如此費力，太辛苦了！』

陶侃笑著說：『你誤會了，我搬磚是爲了練身體，現在中原尚未平定，我恐怕自己生活優逸，精力懈弛，將來不能任事。』

他除了勤勉，而且儉樸，當任荊州刺史時，常命令造船的官吏把鋸下的木屑，不論多少，全部搜藏放好，大家都莫名其妙。但因爲長官有令，也不敢不照著做。

不久，積雪融化，天氣放晴，廳堂前面的院落溼漉漉的一片滿是爛泥，腳一踩便陷了下去，行走相當不便。陶侃派人用木屑覆在地上，如此一來，連車馬都可以通過了，人們這才明白陶侃是有備而做的。

官府裡平常用的竹子留下許多厚頭，陶侃下令不許扔，到了後來竟堆積如山，人們怨道：『小氣過了頭，自找麻煩。』

可是等到桓溫要伐蜀時，這些厚頭剛好用來作釘，大家又欽佩陶侃懂得利用廢物。

一次，陶侃出外遊玩，遠遠看到一個人持著一把未成熟的稻子，一邊揮舞，一邊哼著小曲。

陶侃叫住了行人：『你拿著這把稻幹什麼？』行人若無其事的回答：『沒什麼，路過嘛，好玩就摘了一把。』

『什麼？好玩？』陶侃大怒：『你自己不種田，還偷人家的稻穗來玩！』便把行人綑起來，結結實實打了一頓屁股。因爲他重視農事，所以軍民勤於稼穡，家給人足。

陶侃最恨賭錢，曾把賭具扔掉道：『民生在勤，大禹聖人，猶惜寸陰，至於我們凡俗，當惜分陰。怎可遊玩荒逸，在世時無益當時，死後不留一點名聲，這叫自暴自棄。做爲君子，應該正正派派穿好衣裳，一舉一動要有威儀，哪裡可以亂頭養望，反而說自己宏達。』

陶侃他這番話是諷刺當時東晉的士大夫王澄脫衣上樹，光逸鑽入狗洞的輕薄行爲。

然而陶侃的話並不能使東晉人覺悟，他們仍然嚮往浮華，看重門第。陶侃剛出道時，固然受到種種奚落，就是到了後來陶侃做了征西大將軍，因討伐蘇竣，立了大功，那時已七十高齡，仍有人看不起陶侃的出身，還罵他爲『溪狗』哩（因爲陶侃的鄉里正是溪族雜處區）。

閱讀心得

【第163篇】

佛圖澄法力無邊。

佛教在漢朝時代已經傳入中國了，但直到魏晉時代才在中國盛行。此與當時的時代背景以及佛圖澄的推行大有關係。

魏晉時代的老百姓天天過著悲慘的生活，又眼看著貴族名士過分的享受與奢靡，而且成爲貴族娛樂的犧牲品，他們悲觀而絕望，渴求一種新的人生觀來撫慰心靈。

一個人在悲觀痛苦時，常常發生神祕心理，此時人們發現國家不能拯救他們、皇帝不能拯救他們、官吏不能拯救他們、名士不能拯救他們。於是在水深火熱的戰亂中，他們很歡迎外國神，一種全新的宗教——佛教。尤其佛教是講來世的，人們可以把希望寄託在下一輩子，以忍受今生今世的折磨。

佛教是由北方流行到南方的，其中有個叫佛圖澄的和尚對推行佛教極有貢獻。

據晉書的記載，佛圖澄是天竺人，本來姓帛。在永嘉四年來到了洛陽，自稱活了一百多年，能夠幾天幾夜不吃不喝。佛圖澄的肚皮上有一塊中間白色、四圍黑圈的圓孔，很像是肚臍眼兒。裡頭塞了一團白棉絮，奇怪極了。

每天晚上，佛圖澄念書時，他就把棉絮慢慢拉出來，放在一旁。圓孔裡竟然發出一閃一閃的亮光，照耀全室，佛圖澄便就著『自來光』看書寫字。

每當齋戒之時，佛圖澄便從這個圓孔中，把熱烘烘的五臟六腑全掏了出來，用水沖洗乾淨，然後再逐一放回腹中，塞好棉絮。

後來永嘉之禍，匈奴攻入洛陽，殺戮極慘，許多和尚被害，佛圖澄投奔到石勒手下大將郭黑略家裡避禍。

從此郭黑略每次隨石勒出外征戰，總能事先預卜勝負。石勒覺得奇怪，把郭黑略找來問：『我實在看不出你有什麼出眾智謀，爲什麼每次都能知道行軍的吉凶？』

郭黑略回答石勒，有個和尚佛圖澄靈驗得很。石勒立刻召來佛圖澄，試驗他的道術。佛圖澄取來一缽清水，燒起一缽香，口中説了一些旁人聽不懂的咒語。

説也奇怪，只見缽中冉冉生出一種青蓮花，孤挺美麗，吃驚得令人説不出話來，石勒從此很聽佛圖澄的話。

不久，石勒從葛陂撤軍到河北，經過枋頭鎮時，佛圖澄對郭黑略説：『待會兒敵軍會摸黑偷營。』果然，到了三更半夜敵軍偷偷潛至，因爲石勒早有準備，打了一場大勝仗。

雖然如此，石勒還是想再試試佛圖澄，看他到底能否『未卜先知』，石勒頭戴鋼盔，身披鎧甲，手提大刀，派人告訴佛圖澄説：『石大將不見了，不曉得跑到哪兒去了。』

哪曉得來人還沒開口，佛圖澄就問道：『又沒有敵寇來襲，石大將軍爲什麼全副武裝？』石勒知道了，對佛圖澄更加信服。

但沒有過多久，石勒大生和尚的氣，連佛圖澄也在內。佛圖澄躲在郭黑略的家裡，對別人說：『萬一石將軍問起，就說不曉得我到哪兒去了。』

石勒找佛圖澄遍尋不著，心裡懊悔萬分，日夜不安。第二天，佛圖澄竟登門拜訪石勒。石勒問：『昨天你跑到哪裡去了？』

『昨天你發脾氣，我暫且避一下，昨晚你悔悟了，我才敢來。』佛圖澄從容不迫的回答。

這句話一語道破石勒的心事，石勒不好意思承認，哈哈笑道：『和尚，你猜錯了！』

以後，石勒當了皇帝，建立了後趙，對佛圖澄更加恭敬。石勒有個堂兄石葱想謀反，被佛圖澄看出了陰謀，出家人又捨不得害石葱喪命，他便對石勒說：『今年的葱裡有蟲子，吃了會中毒，趕快下令要人民不可食葱。』『食葱』與『石葱』同音，石葱一聽，心裡有數，連夜逃了。因此石勒對佛圖澄更爲看重，尊稱他爲大和尚。

每次石勒召佛圖澄上朝，佛圖澄都乘坐四人抬的轎子直到大殿，那些王公大臣搶著去抬轎子，他們認爲替佛圖澄抬一抬轎會得到好運，石勒的兒子們則跟在轎子後面，高叫：『大和尚到。』佛圖澄成爲當時人人敬仰的人物。

石勒在五胡諸王之中，算是一個不平凡的梟雄，雖然出身微賤，卻有過人才略，稱趙王以後，置宗廟，營宮室，設經學史學祭酒，獎勵農桑。因爲石勒很聽佛圖澄的話，凡是石勒想殺的人，由於佛圖澄的幾句話，經常打消了主意。許多人的性命，都因佛圖澄的一句話，獲得了保全，所以當時中原地區的人民，大家都很信奉佛教。

當然以史書上所記載的種種，不免有許多誇大及附會的地方。但由此我們可以知道，蠻夷酋長看上了和尚的道術，紛紛皈依，一般百姓爲求精神上的安慰，以及希望藉由佛門保護性命，也都紛紛信仰佛教，於是佛教自此便逐漸流行，一直到今天。

閱讀心得

【第164篇】

王羲之愛鵝。

提起王羲之，大家都會立刻想到書法，不錯，王羲之正是我國最著名的大書法家。

王羲之，晉朝人，爲人爽朗，以有骨氣知名，是王導的侄子。當時太尉郗鑒想要在王導家選女婿。東晉人重門第，誰和郗家結了親家，身分自是不同。因此，王家的子弟有的故意表現文質彬彬，也有的假裝矜持，總之都非常不自然。

只有王羲之不理這些，一個人坐在東床（此時胡床已傳入）吃東西，吃得好開心。郗鑒說：『這正是我要找的好女婿！』便把女兒嫁給了他。

王羲之以氣宇高華當了乘龍快婿，這也是成語『東床快婿』的由來。

他的官位做到了右軍將軍，所以後人稱爲『王右軍』，有『書聖』的美譽。王羲之的筆勢飄逸如浮雲、矯健如驚龍，在東晉已赫赫有名。

穆帝永和九年，王羲之和謝安等十一人宴集於會稽山陰的蘭亭，飲酒賦詩，由他寫了一篇序，記述盛會。

王羲之打開硯臺，輕研香墨，提起鼠鬚筆，鋪開蠶繭紙，趁著微微的酒意，寫下了蘭亭集序。序中二十個『之』字各有不同，都有不同的美感。酒醒以後怎麼都寫不出這樣好。他把蘭亭集序妥善的珍藏起來。

到了唐朝，唐太宗對王羲之的字著迷不已，命令大書法家虞世南、歐陽詢、褚遂良摹臨數本，成爲日後人們學習書法的字帖。至於眞蹟，已隨著唐太宗殉葬在昭陵。

鵝是王羲之的寵物，他聽說會稽住了一個老婆婆，養有一隻奇鵝，叫的聲音特別悅耳，王羲之派人去購買，沒有買成。

王羲之還是不死心，邀了幾位親友，駕著車子親自前往交易。老婆婆看到王羲之如此重視，連忙殷勤接待。

到了中午，老婆婆留王羲之午餐，她笑嘻嘻自廚房小心翼翼捧出一個大碗，掀開飯碗一看，赫然竟是那隻他夢寐以求的鵝。

『我知道將軍愛鵝，特別燉了一上午，你瞧，肉都酥爛了，一定很好吃。』老婆婆討好的說，把碗推到王羲之面前。

王羲之看了，眼淚都快掉下來，哪裡有心情吃牠的肉，嘆口氣離開了。以後一連好幾天都悶悶不樂。

還好，不久，他又聽說山陰有一個道士養了一羣好鵝，他急急忙忙跑去看，一看就相上了。再三請求道士賣給他，多少錢都在所不惜。

道士說：『賣我是不賣，不過如果你爲我抄寫一部道德經，豈只一隻，一羣鵝全部送給你！』

『眞的？』王羲之興奮得很，立刻濡筆寫字。寫好了，道士很守信用的把整籠鵝一起送給他。王羲之滿載而歸，一路上又唱又笑，又忙著低頭看鵝，快樂得像個小孩子。

有一天，王羲之在路上看到一個年紀大的姥姥在賣竹扇子，一把竹扇子僅賣六角錢，行人來來往往，沒有人停下來理會姥姥。

太陽愈來愈烈，王羲之看著於心不忍。他向姥姥要了所有的扇子，姥姥以爲來了一個大主顧，立刻把所有的扇子全部奉上。

王羲之拿出筆，在每一把扇子上面寫幾個字，然後，還給姥姥。姥姥以爲王羲之要給她錢，沒想到這位客人在每把扇子上亂塗一下，卻把所有的扇子都還給她，氣得姥姥指著王羲之的鼻子大罵：『你這個人眞沒道理，你不買扇子，還把我的扇子弄髒了，我要賣給誰啊？』

王羲之笑嘻嘻對姥姥說：『你別緊張，你只要對人說，這扇子上的字是王羲之寫的，包管你每把扇子可以賣一百個錢。』

『弄髒』了的扇子還可賣錢？姥姥不相信。沒料她一說是誰題的字，不到一會兒工夫，立刻被搶購一空，姥姥莫名其妙。這可見得王羲之的書法在當時受喜愛之一斑。

王羲之除了書法好，志氣也高，和東晉一般名士不相同。

一次王羲之與謝安共登冶城，王羲之對謝安說：『夏禹勤勞王事，手脚都起了厚繭；文王爲了國事，連一餐飯都不能好好吃；現在四方都不太平，國家多難，每個人應該獻出自己的才能，爲國効力。如果只是清談，把國家政治事務都荒廢了，注重虛浮，不切實際恐怕不太合適吧。』

可見得王羲之除了書法獨步古今，在其他方面也值得人們尊敬，他是東晉時代極少數不尚清談，不好虛浮的名士。

閱讀心得

【第165篇】謝安的沉著穩健。

『舊時王謝堂前燕，飛入尋常百姓家。』這是唐朝大詩人劉禹錫在烏衣巷詩中的兩句。形容王家、謝家後代沒落，連在簷上的燕子也另覓安身之處了。王指的是前面講過的王導，謝便是今天故事的主角——謝安。

謝安的學問很好，當他年輕時，因爲羡慕古代的隱士作風，雖然朝廷徵召了幾回，他總是不肯出來做官。

一天，謝安和幾個朋友僱了一條船出去玩兒。船開了一半，忽然天氣變了，風起浪湧，孫綽等人都張皇失措，嚷著說：『回去吧，太危險了！』

謝安也不答腔，昂起頭來吟了一首詩，低頭下來又斟起一杯酒，好像遊興很濃。諸人看他一派悠閒，也只得繼續的吟酒賦詩。

過了一會兒，風轉急浪轉猛，撲打著小船搖搖晃晃。大家都很害怕，坐立不安，在船上走來走去，口裡嘀咕著：『糟了！』船身益加不穩，搖擺擺，好像隨時可能翻船。

謝安說：『像你們這個樣子，大家都一輩子別想回去了。』果然，大夥兒的心慌意亂，使得船夫也被衆人攪得心神不寧，連槳也拿不穩。

大家這才瞭解現在是危險的時候，必須鎮定下來，於是，一個個不再多嘴饒舌，安安靜靜回到座位。船夫也定下心來，沉著的控制著船槳，憑

著經驗與風浪搏鬥，終於把船安全的駛了回來。

上岸以後，大家拍著胸口長吁道：『好險，這條命算是撿回來了。』也才省悟到，萬一當時不鎮靜，在船上大呼小叫，奔來跑去，船夫也受到這種恐懼氣氛感染，稍不留意，都成了水鬼。因此眾人直誇謝安遇事不驚慌，小心應付，有安邦定國的才能。

後來有人對謝安說：『你高臥東山，朝廷屢次請你都請不動，你怎麼對得起天下百姓？』謝安心裡很慚愧，也就應允出來做事，此時他已四十多歲了。

東晉簡文帝得了重病，這時朝廷中的大權操在桓溫手裏，桓溫爲荊州刺史，手握重兵，曾兩次北伐，都因軍糧不足，大敗而歸。桓溫很有自己做皇帝的野心，可惜兩次北伐都不成功，聲名大挫，不敢貿然自立為帝。

他的幕僚郗超建議他廢掉晉朝的皇帝以立威。太和六年，桓溫便親自帶兵進京師建康（今南京），假傳太后之命廢去當時在位的皇帝司馬奕（因為司馬奕做皇帝之前任瑯琊王，被廢後在宗廟就沒有牌位，所以有些書上稱司馬奕為廢帝，也有的就稱為瑯琊王奕，就如同魏朝要殺司馬昭的曹髦，歷史上仍稱他為高貴鄉公），降為東海王，另立會稽王司馬昱為皇帝，是為簡文帝。

所以，簡文帝在位之時，形同傀儡，一切大權操在桓溫手裏。咸安二年，簡文帝病危，桓溫在姑孰（今安徽省當塗縣），很想簡文帝在死前傳位給他，不料，簡文帝死得太快，並不知道桓溫的心意，所以遺詔中僅命桓溫輔政，而以自己的兒子司馬昌明爲皇帝，是爲孝武帝。

桓溫大失所望，孝武帝即位的第二年二月，桓溫從姑孰入朝，京師裏紛紛傳說，桓溫入京是準備來篡位的，並且要殺掉阻撓桓溫篡位的王坦之和謝安。一時之間人心惶惶。

桓溫在大軍護衛之下到了建康，文武百官在城門口兩旁恭迎，桓溫在賓館之中接見大臣，當時朝廷中最有名望的是吏部尚書謝安和侍中王坦之。桓溫特別召見謝、王二人，當時雖值寒冬，王坦之緊張得汗流浹背，衣服都濕透了，謝安卻神色自若，從從容容在客廳裏坐下來，對桓溫說：『我聽說諸侯有道，守在四鄰，明公（對桓溫的尊稱）何須在牆壁後面佈置人手？』

桓溫笑道：『我要自衛，不得不這樣啊！』於是，命左右將壁後的人手撤去。桓溫和謝安互相不再戒備，坦誠地談起天來，沒想到兩人談得很投機，不知不覺談了兩三個時辰。

在王坦之、謝安進來之前，桓溫命心腹參謀郗超先躲在客廳的帳（布簾）中偷聽，沒想到謝安與桓溫談了這麼久，一陣風來，把布簾吹開，謝安發現郗超躲在布簾之中，便笑著說：『郗生可謂入幕之賓。』於是，主客大笑。

桓溫和謝安的晤談以和氣收場，化解了京師人心的不安，這當然是靠著謝安委婉而沉著的應付。

桓溫只在京師建康停留了十四天，就因爲生病而回姑孰去了，半年後，桓溫病死，晉朝中央政府才算解除了一大威脅。

謝安為人持重，公忠體國，凡事能多聽旁人的意見，深獲人心。也只有在他主政的這段期間，東晉的上下才能拋棄成見，互相協調。

一次，王羲之的三個兒子：徽之、操之、獻之上門拜見謝安。老大老二東家長，西家短，嘰嘰喳喳說了許多俗事。老三只寒暄幾句便閉口不言。等到他們三兄弟走了，旁的客人問道：『剛才王家三個賢子弟之中誰最好？』

『小的最好。』謝安不假思索的說，繼而解釋道：『有才德的話講得少；浮躁的人廢話多，這是可想而知的。』

正因為謝安懂得相人用人，東晉的政治為之一新。

閱讀心得

【第166篇】

淝水之戰。

八王之亂引起了五胡亂華，使中國北方長期陷於割據分裂的局面，一直到氐族的苻堅才統一了北方，其他胡族和北方的漢人都接受苻堅的統治。

苻堅的國號是秦，由於五胡建立的政府還有羌族的姚萇也把國號稱爲秦，所以後人爲了區別兩個秦，便把苻堅稱爲前秦，姚萇稱爲後秦。

苻堅雖是氐族，但是，卻任用漢人王猛擔任丞相。苻堅本不認識王猛，聽說王猛博學多才、精通兵法，便特別派使者邀請王猛前來見面。兩人一見如故，談得十分投緣，苻堅高興地說：『我見到王猛眞是樂極了，就像是劉備遇到諸葛亮一樣。』

王猛做了前秦的丞相，革新政風、選拔人才、勸課農桑、訓練軍隊、整頓司法，造成國富兵強、老百姓安居樂業，可說是五胡亂華之後，極爲難得的一段政治清明安定時期。

不幸，王猛生了重病，苻堅親自到處求神保佑，又派使者到全國各地去求各種神，然而都沒有效。王猛臨終之時，苻堅親自到王猛家中去探病，並問王猛有沒有甚麼事要囑咐，王猛說：

『晉朝雖然偏安江南，但是，他們以正統相傳，朝廷上下和諧團結。

我死以後，希望陛下不要去打晉朝的主意。鮮卑人和羌人才是我們的仇敵，終是心腹之患，要慢慢消除，才能使國家基礎鞏固。』不久，王猛便死了，苻堅痛哭流涕，三次親自前來弔祭。

王猛勸苻堅不要伐晉，有人認爲王猛是漢人所以要保護晉朝，其實，王猛是忠於苻堅，他知道秦朝的內部有許多鮮卑人和羌人，心裏都不服苻堅，隨時會找機會獨立。所以王猛勸苻堅注意內部的鮮卑人和羌人，是有道理的。

但是，苻堅的自信心太強了，他認爲既能統一北方，豈能坐視江南呢？東晉孝武帝太元八年（西元三八二年）苻堅正式宣佈伐晉，當時秦的大臣權翼、石越、苻融，甚至太子宏，苻堅的寵妃張夫人都反對，苻堅都不理會。苻堅説秦有九十七萬大軍，『投鞭於江，足以斷流』，自信攻晉是輕而易舉的事。

第二年八月，秦軍出發，出動了步兵六十萬、騎兵二十七萬，分幾路進兵，由於軍隊太多，隊伍拉得很長，當苻堅到達項城（今河南項城縣）時，後隊的秦軍才到達咸陽（今陝西咸陽縣），前後距離很遠。

秦八十萬大軍南下的消息，使得晉國舉國驚震，人心惶惶。幸而，謝安早在幾年之前，就命劉牢之在江北訓練了一支軍隊，取名爲『北府兵』，戰鬥力很強。謝安命侄兒謝玄領兵八萬抗秦。

十月，苻融領三十萬大軍攻陷壽陽（今安徽壽縣），已和晉軍接觸。苻堅也親率八千騎兵趕到壽陽，準備和晉軍正面廝殺。

苻堅的部下有個叫朱序的人，本是晉朝的將領，戰敗而降。苻堅對朱序說：『你知道晉軍前線指揮官是謝安的弟弟謝石，你和謝石是好朋友，你可以溜到晉軍，去勸謝石投降，事情辦成之後，我有重賞。』

『遵命！』朱序回應道。

朱序偷偷來到晉營，見到謝石，他不但不勸謝石投降，反而把秦軍的虛實全部報告出來，並且勸謝石不要等秦的八十萬大軍結集，立刻進攻，朱序自己可以做晉朝的內應。

秦的大軍壓境，謝玄急急忙忙跑來請示謝安禦敵之方法。

謝安只說了一句：『已另有命令。』便不肯多言，謝玄也不敢再問，回營之後，想一想，不安心，派了張玄去請示。

這次的回答更妙，謝安竟說：『走，我們到山外的別墅去下圍棋。』於是，謝安帶著謝玄等一羣人浩浩蕩蕩到了別墅，沒有人有心想玩，只有謝安一個人下得最爲起勁。謝安平時不是謝玄的敵手，這一天，謝玄心中不安，結果一連輸了幾盤棋。

到了半夜，謝安從別墅回到城內，這時，謝安才把各個將帥找來，面授機宜，各當其任，將帥們看謝安從容不迫的神情，也好像吞下一顆定心丸。

秦晉兩軍隔著淝水（今南淝河）對峙，謝玄派使者要求秦軍稍作後退，待晉軍渡過淝水決一死戰。苻堅心想，何不趁著晉軍渡河一半的時候，秦軍出擊，晉軍必然無力還手，於是，同意秦軍後退。

三十多萬秦軍看著晉軍一船一船正在渡河，忽然之間，接到命令向後撤退，大家弄不清楚爲什麼要撤退，當時，既沒有無線電，又沒有擴音器，撤軍的命令全靠著口耳相傳，口耳相傳就會失眞。

秦軍士兵以爲是最前線的秦軍吃了敗仗，這時，朱序在秦軍之中到處大叫：『秦軍已敗。』那些奉命後退的秦軍便失了秩序，沒命地向後跑，結果互相推擠踐踏，死了不少人，等謝玄的晉軍渡過淝水，發現秦軍竟自動後逃，便立刻揮刀舞劍，追殺前去，弄得秦軍更加狼狽，到了晚上，秦軍還在逃，旁邊八公山上的草木被夜風吹得搖擺不定。再加上鳥叫的聲音，秦軍嚇得以爲是晉軍，所以更加沒命地逃亡，這就是『草木皆兵、風聲鶴唳』成語的由來。

淝水之戰的捷報飛快地傳到京師建康，謝安正在跟人下圍棋，看完捷報，順手往旁邊一放，繼續下棋。

『是不是前方的軍情報告？』左右的人焦急地問。

『沒有甚麼，不過是小兒輩打了勝仗而已。』謝安的臉上並沒有得意的喜色，仍然專心下棋。

下完了棋，客人走了，謝安急忙回到內室，經過門檻子，絆了一下，連木屐都碰斷了，原來謝安下棋只是強作鎮靜，其實內心是十分緊張的。

苻堅的失敗印證了王猛的話，秦的最大敵人是內部的鮮卑、羌人，他們人數比氐族多，暫時屈服在苻堅領導之下，總想有一天能脫離氐族的控制而自立。淝水之戰中，秦的軍隊實際上是五胡軍隊拼湊而成，所以聽到朱序放出『秦軍敗了』的謠言，便以起鬨的心理、四處逃散，以至於不可收拾，所以，淝水之戰與其說是晉軍打勝了，不如說是秦軍自己敗了。

閱讀心得

【第167篇】

劉裕做了皇帝。

自從淝水之戰苻堅戰敗以後，他所統一的北方又再次的分裂。五胡十六國之中，有十國都是在淝水之戰以後建立的。同時，淝水之戰以後，東晉得以偏安江南，維持了漢人在南方的政權。

北方雖然混亂，晉人卻未能趁此機會光復中原，因爲晉朝內部不安定。東晉的老百姓受不了連年的剝削與壓迫，終於在晉安帝隆安三年起兵造反，帶頭的是天師道的孫恩。不到十幾天的工夫，就有十多萬民衆響應，佔領了八州之多。朝廷急忙派淝水之戰的名將劉牢之出來鎮壓。

劉牢之手下的劉裕，在歷次戰役之中表現最爲傑出。劉裕是平民出身，曾經當過農夫，他勇敢善戰，而且很有智謀。

一次，孫恩派了大兵來攻城，城裡的兵力相當弱，根本不是對手。劉裕心生一計，挑選了數百名敢死隊，脫掉了鎧甲，拿著短兵器，一路打鼓叫喊而出。來勢洶洶，把孫恩的部將嚇了一跳，紛紛丟下武器逃跑。

敵人雖然暫時遠離，到底寡不敵衆，困在城裡不是個辦法。於是劉裕下令把旗子收好，士兵們藏起來，四下靜悄悄的，好像已經逃走一般。

第二天清晨，孫恩的軍隊折返回來，只見幾個老弱殘兵在城門上走來走去。隨便捉了一個老頭問道：『劉裕呢？』

那老頭翻一翻白眼，沒好氣的說道：『在夜裡早就走了！』

『哼，害我們昨天中了這小子的計！』賊兵嘆了一口氣，既然走都走了，仗也沒什麼好打了，自然而然放鬆了戒備。大家興奮地放下武器，準備進城去痛快大搶一番。不料，就在此時，劉裕率了大軍自城中殺出，賊兵措手不及，連隊伍都沒有排好，便被劉裕打得落花流水，抱頭鼠竄。

劉牢之的北府兵，雖然打敗了孫恩，但官兵的紀律跟賊兵卻是差不多，到處焚燒擄掠。人們原巴望官兵前來解救他們，沒想到遭此浩劫，失望透頂。只有劉裕的部隊法令明整，人民都爭相歡迎。如此一來，劉裕的名氣更響亮。

接著，劉裕又平定了東晉的桓玄之亂。桓玄的父親是桓溫，桓溫原是晉之大將，一直都想篡位當皇帝。他曾經三次北伐，希望藉著戰功增加威勢。不幸敗於枋頭，沒有達成心願。所以他兒子意圖再試試看，卻被劉裕一舉平定。

在中國古代平時安定的日子裡，君臣之間的名分，像天與地一般不可以隨便動搖，皇帝是全國的領袖。可是在戰亂中，往往可以暴露出帝王的無能，不足以領導全國。於是，大多數的人民自然而然地想跟隨一位有才能的領袖，以拯救自己。五胡亂華以來，人民飽受痛苦，希望有人出來領導。有野心的臣子看到君王無能，也對王位起了覬覦之心。

桓溫是這樣的想法，劉裕也是。他首先滅了南燕，平定盧循之亂，再平後蜀；二次北伐，克復了洛陽，入長安，滅後秦、西秦，北涼請降。晉人竟然光復了淪陷一百零一年的關中之地。

忽然之間，劉裕聽說他留在京師建康的大將死了，他惟恐後方發生兵變，匆匆忙忙班師回國，如此一來，關中又丟掉了。劉裕又羞又氣，爲著鞏固權威，派人殺掉愚蠢得連冷熱飢飽都不知道的安帝，迎立安帝的弟弟司馬德文爲皇帝，是爲恭帝。這時，劉裕雖受封爲宋王，但是並不滿足，他急著想登上帝位，自己又不方便開口，非常苦惱。

有一天，劉裕在壽陽（今安徽省壽縣）邀集朝臣宴飲，他站起來致詞道：『我首先倡導大義，南征北伐，平定四海，功成名就。現在年紀大了，也應該奉還爵位，告老還鄉，就像是一杯水裝得太滿也不好，滿遭損啊。』於是，立刻有人站起來向劉裕敬酒，盛讚他的功業彪炳。馬上又有第二個人站起來，大大歌功頌德一番。

大家都猜不透劉裕心中眞正的意思，他又不好意思說：『笨蛋們，我想等你們擁我爲皇帝啊！』只有一個勁兒苦笑。

宴會散了以後，中書令傅亮走出大門，看到天上一顆流星飛逝而過，心中頓有所悟，他一拍腦袋，自言自語道：『哈，我說呢，他爲什麼今天晚上說了許多奇怪的話，什麼要退休，什要要告老還鄉，敢情是以退爲進，想當皇帝，可惜，缺一個幫他開口說話的人。』

傅亮也顧不得大門緊閉，敲了門就進去求見劉裕。

『你有事嗎？』劉裕問傅亮。

『我想暫時回京師建康去一下。』傅亮含蓄地說。

『嗯！』劉裕看著傅亮，心照不宣地説：『你要派多少人送你去？』

『數十人就夠了。』傅亮説。

第二天，傅亮就從壽陽回到京師建康，覲見了晉恭帝，對恭帝説：『現在全天下都仰慕宋王劉裕的威德，所謂衆望所歸，陛下應該禪位給宋王了。』説著，便從懷裏掏出一份寫好的讓位詔書，請恭帝簽字。

晉恭帝名義上雖然是皇帝，卻毫無實權，不過是個傀儡而已，同時，又看到哥哥（安帝）被殺，心裏一天到晚恐懼不安，現在傅亮要他讓位，他不但不以爲忤，反而很高興地説：『要我讓位，我是心甘情願。』立刻提起筆，用紅紙把傅亮所擬的文稿照抄一遍，宣佈禪位詔書，恭帝自以爲讓位以後，就可以避免像哥哥一樣被殺的命運。

劉裕接受晉恭帝的禪讓，即皇帝位，改國號爲宋，是爲宋武帝，這是南北朝時代南朝的開始。

從漢末到兩晉，中國的社會極重門第。惟獨劉裕出身平民，全憑戰功當上了皇帝。所以劉裕深知民間疾苦，能破格任用人才，不重視豪門大族。

劉裕相當節儉，睡的是鐵釘製成的床，脚上踏的是連齒木屐，一改魏晉以來的浮華之風。他去世的時候，把自己以前耕田用過的耒耜陳列在宮中做紀念。後來他的兒子文帝看到這項遺物，想起劉裕一再告誡的刻苦樸實的精神，頗爲羞愧。劉裕若非即帝位兩年以後就死去，他的成就應該更大。

閱讀心得

【第168篇】

田園詩人陶淵明。

我們常用『世外桃源』形容一個地方的美好似乎是世界上所不該有的。這是因爲晉朝的大詩人陶淵明曾經寫過桃花源記，敘述有個漁夫偶然間到了一個大家從來沒有到過的地方，與世隔絕風景美麗，人民安居樂業，原來這些居民的祖先爲逃避秦朝苛政遷來的。漁夫回去後再想重遊舊地，卻怎麼也找不著的虛構故事。使人讀了，對桃花源神往不已。

陶淵明是中國歷史上最偉大的文學家之一。提起陶淵明三個字，中國人總是親切而溫暖地會心一笑，而且立刻會想起他所寫的『采菊東籬下，悠然見南山』那種耕田、賞菊、飲酒、隱逸的生活境界。歷代對陶淵明作品的研究數量之多，除了唐朝的杜甫以外，恐怕沒有什麼人趕得上他。

陶淵明，字元亮，東晉末年人，後來晉朝亡了，他改名爲潛。前面說過的那位搬運磚頭，搜集木屑的陶侃是陶淵明的曾祖父。

當他少年的時候，家裡非常窮困，但是他的心情很樂觀，自稱『猛志逸四海』，想要轟轟烈烈爲國家做番事業。後來眼看著國家一天天衰弱，人民流離失所。最後劉裕篡晉，他一介書生沒有扭轉國運的力量，心情苦悶，只有寄情於詩酒。

陶淵明家有高堂老母，娶妻生子以後家庭負擔更重，只好出來當一個

結廬在人境 而無車馬喧
問君何能爾 心遠地自偏
采菊東籬下 悠然見南山
山氣日夕佳 飛鳥相與還
此中有真意 欲辨已忘言

江州祭酒的小官。過了沒多久，就因爲受不了官場上的拘束，與小人不合，跑回家裡種田了。可是收入不足以維持家中開銷，只好又出來，做過幾次參軍之類的小官。他對親戚朋友說：『我呢，也不求多的，只希望能有辦法喝到酒便可。』

後來，派陶淵明當了彭澤令。

陶淵明到了彭澤縣，命令縣裡的公田，全部改種秫稻（是一種可以釀酒的黏稻）。

他太太知道了，立刻勸阻：『全部種秫用來釀酒，這像什麼話，讓上級長官知道了，你好容易得來的彭澤令又要丟了！還是改種秔稻吧。』（即粳稻。）

陶淵明不肯聽，雙方爭執不休，最後採取了折衷政策，一半種秫，一半種秔稻。

陶淵明性情純眞，討厭一切虛僞和欺騙，更學不來對上司逢迎巴結。一天，郡裡派了一個督郵來考察縣裡的政績。按理，他應該立刻換上禮服，繫上束帶，恭恭敬敬去迎接督郵駕到。

陶淵明把束帶一甩，嘆口氣道：『我怎麼能爲了區區五斗米的薪俸，低著頭彎著腰，去侍候這種鄉里小人，算了，我不幹了！』說著，立刻辭職回家。

他還寫了一篇『歸去來辭』，表明『富貴非吾願』的心跡，如今是『鳥倦飛而知還』，從此他一輩子再也沒有做官。這篇『歸去來辭』，是中國文學史上光芒萬丈的好文章，寫得好美、好豐富，又發自他坦蕩無邪的心靈，難怪如此受人歡迎。

後來朝廷徵他做著作佐郎，他不肯去。江州刺史王弘很賞識他的才華，他也不理。

有一天，王弘事先知道陶淵明要到廬山去，他就請陶淵明的老友龐通之在山道擺了酒，準備把陶淵明留下。

陶淵明的脚不好，不方便走山路，由兩個門生抬著籃輿（一種像籃子般的轎子）前來。遇到了龐通之，聽說有好酒，便開心的到亭子裡一杯又一杯的喝起來。

這時躲在後面的眞正主人——王弘出來了，兩人相談甚歡。雖然陶淵明還是不願出來做事，王弘卻對陶淵明佩服萬分，以後常差人送酒給他喝。他家裡如果有客人來，只要有酒，一定拿出來待客。陶淵明自己醉了，也就不客氣的說：『我醉了，想要睡覺，你可以走了。』他就是如此率眞。

陶淵明雖然喜歡喝酒，可是常常窮得買不起酒，如果有人送了他幾斗酒，他一定在酒裡摻點水，湊合著多喝幾天。雖然家裡窮苦，一度還乞食，卻不改其樂，正如他在膾炙人口的『飲酒』詩中所說：『結廬在人境，而無車馬喧，問君何能爾？心遠地自偏。采菊東籬下，悠然見南山，山氣日夕佳，飛鳥相與還。此中有眞意，欲辯已忘言。』把一個清靜恬淡、詩酒爲樂、安貧樂道的陶淵明，生動的呈現在我們眼前。

魏晉南北朝的人奢侈、矯情，所以表現在文學上的，也是做作、濃豔。

陶淵明可不，他是一個率眞的文人，用淺顯白話的文字，描寫農村田園的日子，自然又充滿了感情。因爲這些詩，提高魏晉浪漫文學的地位，建立了田園文學的典型。

總之，陶淵明那純淨的思想，高超的人格，優游而閒適的生活，完全與他的作品合而爲一，構成了他永恆的生命。

閱讀心得

【第169篇】劉彧被稱爲豬王。

中國歷朝歷代雖然都有荒淫的君主。可是南北朝荒淫的君主似乎特別多，現在先講劉裕建立的宋朝（史稱劉宋）時期荒淫君主。

由於劉裕是鄉豪出身，又忙著以武力詐取天下，沒有時間顧及家庭教育，也沒有好好請師傅教導子姪，加上即帝位不滿三年便去世了，因此宋朝的後代皇帝多不成材。

宋武帝劉裕去世以後，繼位的少帝、文帝還算可以，到了孝武帝漸漸不行了。

前面說過，劉裕很儉樸，所以去世時特別把用過的耒耜留在宮中，希望子孫勿忘當年耕田的辛苦。

孝武帝一日翻修宮殿，看到了耒耜，羣臣都誇讚武帝的勤儉美德。孝武帝『哼哼』的冷笑了兩聲：『這個鄉巴佬，能得到這些，對他來說已經太好了！』

孝武帝已經相當不肖了，不料他的兒子子業更不像話。孝武帝死，子業繼位，是爲前廢帝。

子業即位時，正是十六歲的年紀，他從小狂妄霸道，常常受到孝武帝的責備，罵他不長進。因此，孝武帝去世時，子業非但不哀傷，反而手舞

豬王

足蹈。

不僅如此，子業想起當年做太子時很不得孝武帝的寵愛。一發脾氣，立刻嚷要去掘埋葬孝武帝的墳墓。

羣臣急忙阻止這項瘋狂的舉動。太史勸他道：『這樣做，將被天下恥笑，對皇上不利。』但子業一肚子的火氣沒處消，他就差人運來許多糞便澆在他父親的墳墓景寧陵上面，算是他掃墓的方式。

子業對父親不孝，對母親也一樣。

太后病危時，想要喚子業來見最後的一面。差人去請了好多次，子業就是不肯來。

『病人的房間裡有鬼，我才不要去哩。』子業對宮女解釋道。

太后知道了，氣得對宮女大叫道：『來啊，拿把刀子來把我的肚子剖開，看一看我肚子裡有什麼妖怪，害我生出這樣的妖孽兒子。』

一天，子業到太廟去看畫工畫的畫像。他指著武帝劉裕的畫說：『他是個大英雄，生擒了幾個天子。』又指著文帝的畫像說：『這個也還不錯，可惜晚年被兒子幹掉了。』再轉到他父親孝武帝的畫前，驚奇的說：『不對，不對，他有一個又紅又大的酒糟鼻，怎麼沒有畫出來？』立刻傳令畫工補上一個赤鼻子。

酒糟鼻是一種病症，又叫赤鼻症。因爲消化不良，加上飲酒造成紅紅的大鼻皰，非常難看。子業存心羞辱他父親，所以叫畫工特別強調這個缺陷。

子業很討厭宗室諸王，又怕他們造反作亂。於是，他將叔父王休仁，山陽王休祐，湘東王彧都拘禁在建康，常常把三王押到殿上，用鞭子抽打，命令他們在地上打滾，施以種種凌辱，三王都很胖，子業把他們關在籠子裏。稱休仁爲殺王，休祐爲賊王，劉彧身體最胖，乾脆就叫豬王。

子業用一個大木槽，裏面裝滿了米飯與雜食攪拌在一起，再建了一個土坑，裏面盛滿了泥水，他要劉彧全身裸體，像豬一樣，站在泥水坑裏，學豬的樣子，以口就食槽裏的食物，子業看了，樂得拍手大笑。

一次，倒楣的劉彧又忤逆了子業的意旨，子業派人把他像豬仔一般五花大綁起來，命令道：『今天要宰豬。』

殺王休仁要救劉彧一命，知道直言勸戒是沒有用的。弄不好自己一條命也賠了進去。於是他笑嘻嘻的說：『不對，豬還不能宰。』

『噢，爲什麼？』子業問道。

『等到明年皇子生下來，再殺豬作爲湯餅宴，這樣不是更有趣嗎？』

『有道理。』子業大笑著說，劉彧算是逃過了一劫。

子業又蓋了一座竹林堂，命令宮女脫光衣服，在堂內互相追逐。有一個宮女覺得實在太羞恥，不肯脫衣。子業大怒，命令把那宮女給殺了。

當天晚上，子業做了一個夢，夢見一個女人對他大罵荒淫無恥，子業醒後，在宮裏搜索那些和夢裏見到的女人面孔相似的，一起都殺了，可憐不少宮女就做了冤死鬼。

晚上，子業又夢到那些冤死的宮女，指著他罵道：『你冤枉殺我們，我們要告到老天爺那兒去。』

子業醒來，立刻召女巫來查，女巫說竹林堂有鬼，於是子業命令幾百個宮女和自己一起去捉鬼。

鬼怎麼捉？其實是胡鬧，宮女們在竹林裏跑來跑去，子業手執弓箭隨便亂射，說是射鬼，有些倒楣的宮女被射中，沒有捉到鬼，却眞的變成了鬼。

子業荒淫殘暴，不但宮女們人人自危，子業身邊侍候的倖臣也很恐懼，因爲子業喜怒無常，高興時會厚賞，可是一轉眼，心裏忽然不高興，就會殺掉這些倖臣。當然，心裏最恐懼的是號爲豬王的劉彧，他時時刻刻都擔心子業會心血來潮就『殺豬』。

有一天，子業宣佈去洞庭湖遊玩，同時出發前一天殺掉劉彧、劉休仁與劉休祐。劉彧心想，這次恐怕是逃不過了，當天夜晚與子業身邊的侍者壽寂之、姜產之等十一人密謀，在宮中殺掉了子業，立劉彧爲皇帝，是爲宋明帝。

宋明帝當年受子業的種種羞辱，自己當上皇帝以後竟然也和子業差不多荒淫。明帝在位八年就死去了，他的兒子劉昱即位，是爲後廢帝，他也有許多荒唐的故事。

閱讀心得

【第170篇】肚皮當箭靶。

上回說到，宋朝的前廢帝被殺，號爲豬王的劉彧即位，是爲宋明帝。明帝不是一個好君王，宋朝傳統的不重視教育，使得明帝的兒子劉昱更加無法無天。

劉昱五、六歲的時候，已經相當調皮搗蛋。他喜歡爬竿，一爬就爬了一丈之高，而且在上面做出種種危險的舉動，誰也攔他不住。

漸漸長大以後，劉昱益加蠻橫，喜怒無常，使得侍候他的宦官非常不幸。他稍不如意，伸手便『啪』的一記耳光。

古代皇帝出宮是一件少有的大事。劉昱貪玩，不理會這些，幾乎每天都偷偷外出，半夜出了承明門，要到第二天清晨才返宮。有時清晨出宮，傍晚才回宮。

跟著劉昱出宮的侍從，手上都拿著鋌矛。路上遇到的，不管是行人，是狗是馬或是驢子，只要劉昱看不順眼，當場一劍刺死。嚇得老百姓聽說是劉昱出宮，馬上把大門掩上，也沒有人敢上街。

一回，劉昱發現隨從孫超口裡蒜味很重，他竟下令『剖腹』，說要看看這股蒜氣到底從那兒冒出來的。

劉昱每天出遊，不殺人不見血便不愉快，殺人當然是可怕的事，左右

隨從的人如果看到殺人時皺一皺眉頭，劉昱就會立刻拿矛尖去刺那人的眉心，被刺的人當然也就一命嗚呼了。有時到了荒郊野外，看不到人可殺，劉昱也會去殺野狗，然後與左右隨從大吃狗肉。

劉昱這種殘暴的行徑，實在是心理變態。

劉昱聽說沈勃家裡財寶很多，他想據爲己有，便揮著大刀去找沈勃家搶劫。

沈勃看見殺人魔王到來，自知難逃一死，怒由心生，一把揪著劉昱的耳朵，破口大罵：『你這個該死的混帳皇帝，你所犯的罪比起桀紂還要多！』當然，最後沈勃還是被宰了。

劉昱讀書、寫字樣樣沒有興趣，可是說也奇怪，他沒有學過縫紉，裁衣作帽無不精通。未嘗吹奏過篪（一種像笛的管樂），竟然一拿起來，吹得抑揚頓挫，很有韻味。或許他眞不該生在帝王之家。

這個時候，朝廷裡有一位大臣，名叫蕭道成。遠在明帝時代，四方叛變，就是蕭道成以輔國將軍的名義平定亂事。

後來，明帝去世時，遺詔蕭道成爲『右衛將軍，領衛尉，加兵五百人，與尚書令……等共掌機事，又別領東北選事，尋解衛尉，加侍中領石頭戍軍事。』從這一長串的官名，可以想見他當時的權勢之盛。

在古代帝王時代，政治的權力完全集中在帝王一人身上，因此古代最高政治權力具有強烈的排他性。蕭道成的力量太大，劉昱自然心中不是滋味。

有一天，劉昱闖入蕭道成家中，這時正是盛暑的中午，天氣熱得不得了。蕭道成把上衣捲了起來，露出一個光光的肚皮，正在呼呼大睡。蕭道成聽到聲音，睜開眼睛一看，原來是皇帝駕到，連滾帶爬翻身下來，哈著腰準備下跪。

『慢著，』劉昱瞪著蕭道成圓圓大大的肚皮，忽然心生一計。呼道：『站好！』蕭道成不知做錯了什麼事，挺著肚子呆立一旁。

『來啊，蕭將軍的肚子不錯，正適合用來作爲我的箭靶，快快去幫我畫好。』

於是左右拿了顏料，在蕭道成的肚皮上畫上一圈又一圈的箭堋，中間的肚臍眼就當成是靶心。

大家都知道劉昱是殺人有癮，如果哪一天沒殺到人，一整天都悶悶不樂。所以，誰也不敢上前勸阻，只好眼睜睜等著劉昱射弓。

這時，有個聰明的侍從道：『蕭將軍大腹便便，實在是難得一見的好箭靶。一箭射死，不能再用，豈不可惜，不如改用骨鏃射之。』

『對，有理！』劉昱接受了這個建議，改用骨頭製的箭矢射出去。一箭剛好射中蕭道成的肚臍眼。

『哈哈！』劉昱大笑，把弓一拋，手往空中一揚：『怎麼樣，不愧爲神射手吧！』

蕭道成的肚臍挨了一箭，疼得要命。這還算好，要是沒換上骨鏃，早已一命嗚呼了，因此，他冷汗直流。

隔了不久，又有人向劉昱打小報告，說蕭道成威名太盛，不利皇上。劉昱氣得磨著鐵鋋道：『看我明天殺了道成！』

蕭道成聽說了，又直冒冷汗，於是決定先下手爲強。

劉昱的左右隨從對劉昱也是恐懼萬分，因爲弄不清楚甚麼時候劉昱一不高興，左右隨從就會遭殃了。有一個叫楊玉夫的人，很得到劉昱的寵愛，常跟隨劉昱左右，一天，劉昱忽然討厭楊玉夫，指著楊玉夫罵道：『明天殺你這個混小子。』楊玉夫嚇得不得了，蕭道成便和楊玉夫勾結，當天晚上，趁劉昱喝得大醉，楊玉夫和幾個同黨便悄悄地殺了劉昱，然後以太后的旨意爲名，廢劉昱爲蒼悟王，並擁順帝爲王。

第二年，蕭道成逼宋順帝禪位，自己當上皇帝，建國號爲齊，是爲齊高帝。

劉裕建立的宋朝，只傳了短短的五十九年。綱紀敗壞，道德沒落。尤其在皇宮之中，骨肉相殘之烈，是歷代所少見的。例如孝武帝有九個兒子、四十多個孫子、六十七個曾孫竟然全被殺光了。

劉宋朝之所以會落得如此下場，一方面是因爲皇室不注重家庭教育，另一方面是因爲從魏晉以來，風俗奢靡，道德敗壞，爲達目的不擇手段所造成的結果。

閱讀心得

【第171篇】荒唐皇帝蕭昭業。

蕭道成滅了宋朝，建立了齊朝，史稱蕭齊，是爲齊高帝。

蕭道成當了皇帝以後，曾對他的太子蕭賾說：『宋朝如果不是骨肉相殘，怎麼輪得到我們奪取天下當皇帝？』

當蕭道成說這句話時，他和歷史上所有開國的皇帝一樣，希望齊能夠世世代代永垂不朽。

卻沒有料到，宋朝還傳五十九年，齊朝只傳二十三年就滅亡了。這是因爲齊朝開國的幾位皇帝更加荒唐所造成的結果。

蕭道成在位四年就去世了，他的太子蕭賾繼位，是爲武帝，武帝在位十一年，政績不錯，史稱爲『永明之治』（永明是齊武帝的年號）。齊武帝死，皇太孫蕭昭業繼位，是爲廢帝（以後被廢，所以稱爲廢帝）。昭業頗有一些小聰明，狡猾又貪玩，在還沒有做皇太孫時，常和無賴子弟在一起玩，可是父親（齊武帝的太子）管得很嚴，不肯給錢，昭業便偷偷地向富人去借錢，那些富人不敢得罪昭業，只好照給。

昭業的那一批狐朋狗黨陪著昭業吃喝玩樂，昭業許下諾言，如果做了皇帝，都一一預先封爵任官。他的父親去世的時候，昭業在靈堂上哭得死去活來，來弔祭的人都十分感動，覺得昭業十分孝順。

可是，昭業從靈堂一回到內室，立刻歡笑作樂。葬禮完畢，武帝到太子宮去，昭業跪在地上痛哭流涕，武帝覺得這個孫子眞是有孝心，便決心立昭業爲皇太孫，而不另外立太子。

昭業早就想做皇帝，要求女巫楊氏作法，父親死了，自己被立爲皇太孫，昭業認爲是女巫靈驗，又求楊氏祈禱武帝早死。不久，武帝病重，昭業一面在武帝床邊假裝照顧，一面給他的妻子送一張字條，紙中央寫了一個大大的喜字，周圍繞著三十六個小喜字。

武帝死後，昭業即位，每日迷於賭博、歌舞、鬥雞、和女子鬼混，不理會朝政。輔政大臣蕭鸞有篡位的野心，見昭業如此荒唐，便派人入宮去殺掉昭業，廢去他的帝位，改封爲鬱林王。

昭業被殺，蕭鸞改立昭業的弟弟昭文爲皇帝，不久，又廢昭文爲海陵王，蕭鸞自立爲帝，是爲齊明帝。

蕭道成在位四年就去世了，他的兒子武帝即位，還算英明，建立了『永明之治』。當武帝病重的時候，蕭道成的姪子蕭鸞野心漸露，以後蕭鸞利用時機，自己當上了天子，是爲齊明帝。

因爲齊明帝得位不正，所以他的心裡惴惴不安，時常擔心高帝、武帝的子孫會謀奪他的皇位。一不做二不休，他準備殺光一切可疑的宗室，以除後患。

有人說，這是金翅鳥下殿要搏食小龍無數。（明帝名鸞，鸞是金翅鳥。）

在明帝建武年中，人們只要看到他燒香火、拜佛，對天跪拜，嗚咽流涕，泣不成聲，這表示明帝準備今晚要動手殺人了。至於爲什麼要燒香又要哭，不曉得是不是貓哭耗子假惺惺呢，還是心裏也有一點兒怕？明帝每回殺人，總是選在三更半夜，率領大批兵馬把要殺的對象的家宅團團圍住，然後派人用斧頭把牆砍倒，衝入殺人。

當時高帝、武帝的子孫命運悲慘，朝不保夕。每天上朝，個個都是彎腰駝背，鞠躬俯僂，不敢把臉揚起，生怕被明帝看上了，性命就不保了。

有天，桂陽王蕭鑠見了明帝後，出來對人說：『我前天看到皇帝哭得好傷心，當天晚上鄧陽王便遭殃了。今天皇帝又哭哭啼啼，面有愧色，我怕該輪到我了。』果然不幸言中，就在當天晚上，蕭鑠一命嗚呼。

以後，明帝陸陸續續的把高帝、武帝的子孫都殺光了，像宋朝那樣的骨肉之禍，又再次重演。這也是魏晉以來風氣使然。

明帝去世，他的兒子寶卷即位，是一個更寶氣的皇帝。

寶卷小時候不喜歡讀書，他最愛玩的遊戲是——捕老鼠。經常晚上不睡覺，率領著大小太監在宮裡捕鼠爲樂，鬧得通宵達旦，人人都不得安眠。

寶卷雖然不學無術，殺人的本領卻很高明。明帝在臨終前交代他：『做事不可落人之後。』所以寶卷殺人都是神不知，鬼不覺，讓人措手不及。

寶卷又大造宮室，窮極奢侈。他寵愛一個叫潘妃的，不惜耗費巨資爲潘妃打扮，單單一個琥珀釧就用了一百七十萬。又把金子鋪在地上，將金子鑿成蓮花狀，命潘妃在金蓮花上一路款擺而來，號稱爲『步步生蓮花』。他還喜歡和潘妃玩買賣遊戲，自己當屠夫，殺豬剁肉忙得不亦樂乎。百姓紛紛嘆息，甚且編了一首歌謠『至尊屠肉』諷刺他。至尊是至高無上的意思，指皇帝。

買賣遊戲玩久了也玩膩了，寶卷又想起一個新主意——種樹。種樹也不是一件簡單的事，尤其在炎炎夏日。寶卷種的樹，每次一早種下去，到了晚上就死了，把他氣得要命，一肚子的火無處可消。

一天，寶卷出外遊玩，遠遠看到有株大樹，亭亭如蓋，一片綠蔭。寶卷很不服氣道：『我是皇帝，這樣好的一株大樹，當然應該是我的。』

於是，寶卷下了一道命令：『把樹給我搬回宮裡去——』

那株大樹是百年老樹，根枝盤錯，哪兒可以說搬就搬。寶卷不管，他差人把牆給毀了，屋拆了，硬是把這株合抱大樹搬回宮裡去。

大樹剛剛移植下去，寶卷開心得很，找了一羣宮女圍著樹又笑又唱。到了中午，太陽一曬，這株沒有根的大樹馬上焦枯而死，寶卷覺得十分掃興。

他不研究種樹的方法，也不耐煩把種子撒下去，一天一天看它長大。仍舊用的是蠻幹的方法，派兵去搜查，看看哪家有大樹，便把大樹給硬搶過來，弄得老百姓苦不堪言。

閱讀心得

【第172篇】東昏侯蕭寶卷的昏庸殘暴。

東昏侯寶卷荒唐的事還眞不少，我們再繼續說一些他的故事：

東昏侯寶卷的父親齊明帝剛死，依照中國的規矩，要擇吉日才能下葬。寶卷厭惡明帝的靈柩停放在皇宮內太久，便想草草了事，趕快埋葬掉算了。大臣徐孝嗣期期以爲不可，據理力爭，才算沒有草率下葬。當明帝弔祭之日，依照禮節，孝子是要跪在靈柩旁邊大哭，表示思念亡故的父母，可是，寶卷就是怎麼樣也不肯哭。

『陛下，』主持喪禮的官員悄悄地對寶卷說：『你坐在靈柩旁邊，看到有人進來拜祭的時候才哭一兩聲，這樣可以省一點力氣，也同時顧到了禮節。』

寶卷點點頭，不久，一位大臣入殿拜祭明帝，寶卷卻一聲不響，根本沒哭。

『陛下，』主持喪禮的官員跑到寶卷身旁，小聲地提醒道：『你該哭一兩聲。』

『不行，我喉嚨痛，哭不出來。』寶卷大聲地說，弄得主持喪禮的官員和前來拜祭的大臣驚愕地呆住了。

接著，有一位名叫羊闌的大臣前來拜祭，羊闌跪在明帝靈柩前痛哭流涕，不斷叩頭，忽然，羊闌的帽子在叩頭時掉到地上，羊闌是個禿頭，就露出一個亮亮的光腦袋，寶卷看了，忍不住樂得大笑：『看啦，這個大禿頭哭起來好好玩囉！』

左右的人對寶卷這種行爲眞是不知所措。

寶卷雖然做了皇帝，卻不理政治事務。古代大臣們上朝時都在清晨，可是，寶卷每天夜晚要喝酒作樂，清晨當然起不了床，總要弄到中午時分才會見王公大臣，可憐那些王公大臣自清晨起一直等候皇帝，眞是苦不堪言。

有一年元旦，寶卷前一晚瘋得一夜沒睡，一大清早被宦官們逼到大殿前，接受大臣們拜年，一套拜年儀式剛完，寶卷覺得好睏，他也沒宣佈散會，就獨自跑到大殿西側的一個房間，一側頭便呼呼大睡。那些參加拜年典禮的大臣，沒得到皇帝下令散會，都呆呆站在原位不敢走動，這時，寒風凜冽、雪花飛舞，從清晨站到中午，許多人都當場凍僵昏倒。

中國古代皇帝大權在握，各機關的公文都得呈報皇帝，請皇帝批示。寶卷對那些公文毫無興趣，經常堆在宮裏，不加以處理，時間一久，許多公文都找不到了。原來皇宮裏的宦官常會把宮裏的魚肉，偷一些帶回家去，當然不能明目張膽地把魚肉拿在手上帶出宮去，他們發現皇帝的書房裏堆了許多紙，皇帝很久都沒有動過。於是，便把那些紙拿來，包了魚肉帶回家去。後來才被人發現那些包魚肉的紙竟然是政府各個機關呈報皇帝的重要公文。

寶卷雖然不處理政治事務，對玩樂却是興趣濃厚，而且天性殘忍。寶卷喜歡騎馬帶著大批衛隊出遊，每次出遊，不喜歡被老百姓看到，便規定出遊之時，前導的衛隊擊鼓，人們聽到了鼓聲馬上走避，如果走避不及，被衛隊發現，便立刻格殺。

寶卷每次出遊，沒有固定的路線，沒有一定的時間，所以弄得京城建康附近的居民每天恐慌不安。

最可憐的是一些病人，不能行動，聽到鼓聲，家屬們趕快把病人扛到路邊的草叢躲了起來，扛得慢了，地方官吏會立刻追打，有些病人竟然當場被打死。

有一次，有個病人被家人扛到小溪旁邊，也許是扛不動了，便把病人放在溪邊，地方官吏怕被皇帝發現，會責怪下來，便一把將病人的頭埋入水中，病人就給淹死了。

還有一個女人快要生產了，聽到鼓聲，在床上叫肚子痛，寶卷經過這個屋子，聽到屋內有人聲，進去一看，才知道這個女子快生產了。

『你們猜，她肚子裏的孩子是男？是女？』寶卷問。

『男的。』有人說。

『女的。』也有人說。

『我來看一看，究竟是男是女。』寶卷拿出長劍，對準那女子的肚子刺下去。於是，那個可憐的女子便一命嗚呼了。

有一個叫朱光尚的人，自稱能夠看到鬼，他向寶卷說：『我看到先帝面對皇宮，一副怒氣沖沖的樣子。』

『這個死鬼，看我怎麼對付他。』寶卷說著，便用稻草紮成一個人形，背後寫著齊明帝的名字，然後將稻草斬首，把頭掛在皇宮的門口。

由於寶卷太過昏庸殘暴，在雍州擁有重兵的蕭衍便起兵作亂，進攻建康，寶卷便下令召募士兵，召募不到，就強迫徵召，弄得民怨沸騰。

蕭衍的軍隊到了建康城外，寶卷的軍隊屢戰屢敗，大將茹法珍請求寶卷賞賜士兵以激勵士氣，寶卷不肯，反而對茹法珍說：『蕭衍是要來捉我，不是搶我的錢，你們爲什麼反而要我的錢？』

寶卷捨不得錢，不肯賞賜，士氣十分低落，將軍王國珍、張稷害怕寶卷會隨時藉戰敗的名義殺人，又怕蕭衍進攻建康時對自己不利，眞是焦慮萬分。

於是，他們暗中勾結了寶卷身邊寵臣錢強、崔叔智，共同計謀。有一天晚上，錢強和崔叔智偷偷打開了皇宮大門，王國珍、張稷帶兵入宮。這時，寶卷正在和一個妃子吹笙唱歌，盡興欲睡，聽到報告，說有軍人入宮，寶卷趕快從床上跳起來想找一個地方躲一躲。

不料，身旁的宦官黃泰平竟然抽出一把小刀刺過來，寶卷一閃，小刀刺到寶卷的膝蓋，寶卷痛得向後倒下去，更想不到，一個叫張齊的寵臣正好衝進來，大刀一揮，就把寶卷的頭給砍了下來，這個昏庸殘暴的皇帝就死在自己寵信的佞臣手下。

蕭衍順利地進入建康，以太后的命令廢去寶卷的皇帝名位，降封寶卷爲東昏侯，當然，這個封號是一種諷刺。

寶卷既死，和帝繼位，蕭衍封爲梁王，掌握政治大權，過了兩年，蕭衍篡位，自立爲皇帝，以國號爲梁，是爲梁武帝。

閱讀心得

【第173篇】梁武帝迷佛。

蕭衍滅掉了齊朝，建立了梁朝，是爲梁武帝。梁武帝是南朝（宋、齊、梁、陳）之中，在位最長的一位君主，即位有四十八年之久，是南朝最興盛的時代。

前面說過，宋朝、齊朝兩代的君主都是不學無術，沒有家教，幹盡了天下的荒唐事。梁武帝雖然也是用武力搶奪天下，倒是很有學問修養。騎射、聲律、陰陽八卦無一不精。經常到了半夜，還點燃了燭光，埋首研究學問。他制禮作樂，提倡儒術，正式建立國學，學生除了王公大臣子弟以外，皇室和宗室子弟也一律要入學讀書，又在京師建康設立『士林館』，聘請學者來講學。所以，梁武帝時代是南朝教育最爲發達的一段日子。

同時，梁朝和北方的北魏時有戰爭，梁還打過大勝仗。天監五年，梁將曹景宗大敗北魏，北魏將士死於淮水中者達十餘萬人，另外，有數萬魏兵被俘，這是淝水之戰以後，南朝難得的大勝利，因此，梁武帝的前期，國勢蒸蒸日上，歷史上稱之爲『天監之治』（天監是梁武帝的年號）。

自從魏晉以來，社會風俗奢靡，梁武帝卻是非常節儉：據說他穿的是粗布衣、破棉襖，一頂帽子戴了三年，一件衣裳穿了三年，還是捨不得換新的。他還規定，後宮的嬪妃衣裙不可拖到地上，免得浪費布料。

梁武帝不喜歡喝烈酒，也不愛聽音樂，自律很嚴格，即使一個人坐在暗室，衣服、帽子都穿戴得整整齊齊。在大熱天，旁人都把衣服鬆開，涼快涼快，梁武帝永遠是穿得好好的，即使在臥房中。

在寒冷的冬天，人們都恨不得在溫暖的被窩裡多待一會兒，梁武帝卻四更天起床批閱公文，以至於手指凍傷不能握筆。

梁武帝個人操守極佳，歷代皇帝所喜歡的聲色犬馬他全不愛。但是，梁武帝有一個大毛病——優柔寡斷，缺乏魄力，所以他不能重用大將之才，反而寵信敗將——例如蕭宏。

蕭宏是梁武帝的弟弟，當他率軍進攻洛口時，心中膽怯，數十萬大軍不戰而逃。梁武帝不但沒有處罰蕭宏，反而還任命他爲驃騎大將軍。

蕭宏雖無作戰的本領，卻有貪汚的才幹。到處搜刮勒索，把敲詐來的貨品滿滿的堆了一百多個房間，房間的門上都加了大鎖。

有人看了奇怪，疑心房間裡偷藏了武器，準備日後造反之用。秘密報告梁武帝：『驃騎將軍府後有一百多個房間，門戶森嚴，看守極緊，恐怕有問題。』

梁武帝親自前去察看，打開封條發現裡面有三十個房間堆滿了銅錢，其他七十多個房間中全是布帛、絲、絹等物。他看了好高興，笑著對蕭宏說：『老六，你眞有辦法，我就知道你不會謀反。』從此對蕭宏更加信任。至於蕭宏貪汚一事，竟絲毫不加以過問。

從這件事，可以看出梁武帝沒有魄力，過分姑息、包容。到了梁武帝晚年，這種特性更加顯明，因爲，他迷上了佛教。

雖然佛教在漢朝時代已傳入中國，但直到魏晉時代，才逐漸盛行。這是因爲當時的人民天天過著悲慘的生活，悲觀而絕望，渴求一種新的人生觀來撫慰心靈。

梁武帝自從迷上了佛教以後，對於日理萬機的政務感到無比的厭惡，對佛教愈迷愈深。到了後來，竟然穿著僧衣，升上法座，為僧尼講解涅槃經。然後梁武帝說：『朕不走了，朕要留在廟裡……』

『什麼，皇帝要留在廟裡？這不成啊！國不可一日無君。』羣臣紛紛跪在地上請求梁武帝打消主意。但是梁武帝意志堅決，自認爲當年雙手沾滿血腥，現在要在佛寺中吃齋、拜佛、贖罪，做爲寺中的奴隸。

於是，武帝竟眞的留在廟裡修行了，羣臣一籌莫展，最後想出了一個辦法：從國庫裡拿出了一億錢，給廟裡，算是爲武帝贖身。臣子們又跪在地上，三請四請，武帝才極不情願的回到了皇宮。

從此以後，武帝經常前往同泰寺講經。到了太清元年，他竟然又三次捨身同泰寺，要做和尚，最後還是用一億錢贖了出來。

武帝本來已經很節儉，信佛教以後，更刻苦到近乎自虐。每天只吃一餐，魚肉是絕對不進口，連吃素也吃的是極差的菜蔬。

他受了佛教『不殺生』的教義影響，慈悲爲懷，每次碰到要判死刑，總是一天鬱鬱不樂，痛苦萬分，以後他更乾脆不判死刑。哪怕是部下犯了謀反的大罪，武帝也哭著原諒了他。

『皇帝是菩薩心腸，捨不得殺人』的消息傳開以後，不得了，地方官吏任意侵害百姓，貪污納賄公然進行，王侯貴族驕橫淫暴，完全無法無天，反正皇帝不忍心處罰人。在這種心理下，國家一天比一天混亂，而武帝還在爲自己的『修成正果』自鳴得意。

到了後來，竟然有人白天拿著刀子在街上殺人。更有那亡命之徒躲在王侯家裡，官吏也不敢去逮捕，因爲萬一去了，反而被王侯殺了，也沒有法律爲之伸張正義。

有人去向武帝報告政治腐敗、社會混亂的消息，武帝兩眼一閉，跪在佛面前，口中喃喃唸著：『阿彌陀佛，善哉，善哉！』希望自己的誠意能使歹徒改邪歸正，這種自欺欺人的結果使梁朝走向了衰亡。所以，梁武帝的晚年，國勢大為衰落，和前半期簡直不能夠相比。

此外，中國和尚食素，也是起自梁武帝。在此之前，僧人是食用『三淨肉』，所謂三淨肉是『不見殺，不聞殺，不為我殺』。按釋迦牟尼創建佛教之時，要求僧人過著簡樸的生活，不准蓄積財貨，只能沿門托鉢，施主施捨什麼僧人也就吃什麼，施主施捨肉，當然也就吃肉。

梁武帝慈悲為懷，不忍食眾生之肉，他曾撰寫過『斷酒肉文』，『與周舍論斷肉敕』等，規定僧人斷食酒肉，梁武帝貴為皇帝，他的話是聖旨，所以，自此以後，僧人食素。

除了中國的和尚之外，泰國、日本、韓國、越南、不丹、尼泊爾，包括中國境內的西藏、蒙古和尚可都是吃肉的『花和尚』。

閱讀心得

【第174篇】

侯景之亂。

自從梁武帝迷上佛法以後，政務廢弛。朝廷裡的一班小人，認爲皇帝寬大仁慈，容易欺騙，重要大事都蒙蔽著梁武帝。

梁武帝心中並非完全不知道，但是沒有心思顧及，他成天在擔心自己會下地獄，擔心子孫會因爲他而食惡果。早也拜佛，晚也拜佛，求菩薩憐憫他當年殺了許多人的過失。

就在這種情況下，爆發了歷史上著名的侯景之亂。

侯景本來是北方東魏丞相高歡的部下，爲人陰險殘忍，目空一切。他曾拍著胸脯對高歡說：『只要給我三萬兵將，橫行天下，看我把梁朝皇帝逮來，他不是喜歡拜佛嗎？就讓他當太平寺主吧！』

由於侯景自命不凡，因此他很看不起高歡的兒子高澄。曾經對人道：『高王（指高歡）在，我不敢有異心，沒什麼話好說。可是萬一高王死了，我可不能與這個鮮卑小兒共事！』

因此，當高歡染上重病時，高澄十分憂慮。

高歡便對兒子高澄道：『兒啊，我雖然生了重病，但此後你可以一個人獨霸天下，你爲何看起來如此憂心忡忡？』

高澄不回答。

『是不是擔心侯景叛變？』高歡問道。

高澄點點頭，說道：『正是。』

高歡說：『侯景在河南地區專制已十四年，爲人狡猾多計，反覆難知，飛揚跋扈，我還能控制他的野心。可是等我過去後，他一定不會接受你的駕馭，你要小心啊！』

於是，高澄便假造了一道命令想把侯景召回，卻被侯景發現命令是假的。侯景立刻率領所管的豫、鄂、荊、襄等十三州投降梁朝。

當時，梁朝和北方維持了一段和平相處的日子，侯景要來投降，梁朝的大臣們多半不主張接受，以免破壞雙方和平友好的關係。可是，梁武帝不但接受侯景投降，馬上封侯景為河南王，並且下令北伐，派遣姪子蕭淵明爲大將軍。不幸，蕭淵明被俘，梁軍戰敗。不久，連侯景也被慕容紹宗打敗，弄得梁朝人心惶惶。

這個時候，高歡剛剛去世，高澄地位未穩，他不想和梁朝開戰，所以對蕭淵明十分優待，並且放出空氣，說是如果兩國恢復邦交，蕭淵明可以放回。

梁武帝一向疼愛蕭淵明這個姪子。聽到高澄肯放回蕭淵明的消息以後，快樂得哭了起來，即刻派人前往東魏弔高歡的喪，表示願意議和。

但是，侯景聽到這個消息可火大了，他本是東魏的叛將，十分擔心自己會成爲兩國和議的犧牲品。所以屢次上書，勸梁武帝不可與東魏議和，梁武帝不理會，侯景更加不安。

爲了試驗梁武帝的態度，侯景假造了一封東魏的書信，要求以貞陽侯（蕭淵明）交換侯景。

梁武帝的答覆是：『貞陽侯旦至，侯景夕返。』

侯景看到回信，氣得跳腳：『我早就知道梁朝皇帝是個薄心腸的傢伙。』決定造反。

接著，侯景佔據了梁朝在淮水重鎮，到了壽陽以後，開始向朝廷提出種種要求，朝廷卻表示同意。

不久，侯景又要求娶王家或謝家的女子爲婚，這可給梁武帝出了一個難題。前面說過，南北朝繼承魏晉的遺風，門第觀念很重，貴賤階級通婚簡直是不可能的事。一些世家大族，連皇帝都惹他們不起。

所以梁武帝只好對侯景說：『王、謝門高非偶（配偶），可以從朱家、張家以下尋訪。』

除此之外，侯景要求一萬匹錦做軍袍，要求冶煉新武器，梁武帝都一一答應了。

梁武帝的理由是：『就算是一個貧苦的老百姓，家裡有十個客人、五個客人也都能讓客人稱心如意。朕只有一個客人，都不能讓他滿意，這是朕的過失。』反而又送了侯景許多錦綵錢布。

侯景看梁武帝好欺負，開始在壽陽起兵。梁武帝聽說侯景造反，起先還不相信，笑著說：『侯景這小子能做什麼？』不久，也就不由梁武帝不相信了。因爲侯景的軍隊渡過長江，直逼京師建康。

梁武帝發現侯景眞的造反，派遣他的姪兒臨賀王蕭正德領兵去抵抗。不料，蕭正德竟然暗中和侯景勾結起來。當侯景軍隊到達建康，蕭正德開了城門，迎接侯景入城。

梁武帝得到侯景入城的報告，趕緊派羊侃守護皇宮，由於羊侃的英勇，侯景攻不進皇宮，於是，擁立蕭正德爲皇帝，自己做了丞相。

梁朝各地爲了聲援皇帝，紛紛派軍隊趕來建康，這使得侯景心裏害怕起來，他派使者與梁武帝商量，要求各地的援軍回去，自己也不攻打皇宮了。

梁武帝信以爲眞，下令各地援軍回去，不料，援軍剛走，侯景便自毀盟約，向皇宮發動猛烈的攻擊，皇宮終於被攻陷了。

梁武帝成了侯景的俘虜，侯景覺得蕭正德已經沒有利用的價值了，便殺了蕭正德，自己做大丞相。

侯景一路而下，到了後來，竟然俘虜了梁武帝。

侯景逮住梁武帝以後，並沒有立刻加以殺害，只是把梁武帝軟禁在宮裡，像個囚犯似的。

侯景的軍士出入宮中，帶著弓箭，騎著驢馬，到處亂闖。梁武帝看著好奇怪，不曉得從哪兒冒出這些沒有規矩的野蠻人。

直閣將軍周不珍回答梁武帝說：『這是侯丞相甲士。』

『呸，什麼侯丞相？他是侯景，哪裡是什麼丞相？』梁武帝氣得發火。

從此以後，梁武帝在宮中遭到非人的待遇，經常有了早餐沒有了午餐。

不久，梁武帝氣得生了一場大病。

在梁武帝太清三年五月，他睡在淨居殿中，口乾得要命，想喝蜜水，沒人倒給他，連呼『嗬，嗬』，最後又渴又餓而死。

以後，侯景被王僧辯所殺，梁元帝即位，卻已無法收拾殘局。北方西魏率兵南下，梁元帝一氣之下，竟把江南自古以來的七萬多卷藏書用火燒盡，自稱『文武之道，今日盡矣。』在中國文籍史上，造成不可挽救的損失。

到了隋朝，牛弘曾說，自古以來書有五大厄難：①秦之焚書，②王莽之亂，③董卓之亂，④永嘉之禍，⑤梁元江陵之傾覆，而以梁元帝時代的損失最重。可說是侯景之亂的後遺症。

閱讀心得

【第175篇】昭明太子蕭統。

在南北朝時代，梁朝文風最盛。因爲梁武帝本人極有文學修養，而他的兒子——昭明太子蕭統，更是歷史上有名的文學家。

昭明太子是梁武帝的長子，生下來就非常聰明。三歲開始讀孝經、論語，五歲遍讀五經，而且都能背誦。他看書數行並下，過目不忘，速讀本領高超，是個難得一見的天才兒童。在他九歲那年，在壽安殿講解孝經。小小年紀，竟然將孝經的含意發揮得十分透徹，使得在座的臣子大爲佩服，梁武帝更是心花怒放。

昭明太子從小跟隨母親丁貴嬪住在永福省（皇宮中一座宮名），當昭明太子六歲時，依照規定，搬到太子所住的東宮去。昭明太子很依戀他的母親丁貴嬪，心裡悶悶不樂，卻又不敢說出來。

梁武帝摸著昭明太子的頭問：『是不是想媽媽？』

昭明太子用力的點點頭：『對。』眼中閃著希望。他長得極爲清秀可愛，一舉一動都很有教養，流露出高貴的氣質。梁武帝愈看愈疼，便准許他每五日一朝，其餘時間留在永福省陪媽媽。

昭明太子爲人寬厚，從不輕易責罰下人。譬如說，看到食物裡有蒼蠅，非但沒有大呼小叫，反而悄悄地撿起來放置一旁，免得廚子因而受罰。

漸漸長大以後，昭明太子篤信佛教，愛好山水。他在風景勝地建立了一個『玄圃』，常常邀集名人雅士在此小聚。據傳說，玄圃是崑崙山上仙人所居住的地方，所以昭明太子以此命名。

一天，昭明太子又邀了一些人到玄圃遊玩，衆人皆陶醉在此人間仙境之中。昭明太子詩興大發，立刻捲起袖子寫了一篇『玄圃詩』。

這時，同行的侯軌嘆了一口氣道：『哎！可惜了，要是此處有幾個美女吹奏絲竹之樂，豈不更妙？』

昭明太子微微皺了一下眉頭，他也不批評侯軌『粗俗』，只隨口吟了一句左思招隱詩中的一句『何必絲與竹，山水有清音。』侯軌便慚愧得低下了頭。

以後，有人送昭明太子女伎、聲樂，他都興趣缺缺。整整二十年中不留聲樂，這也是古代後宮少有的現象。

在梁武帝普通年間，因爲大軍北討，京師的穀價貴得出奇，百姓個個吃不消。

昭明太子聽說這件事，命令日常膳食縮減，減省布帛米糧。每逢颳風下雪，他就派遣心腹左右出宮，沿街巡行閭巷，周濟貧困。若有蜷縮在道旁，無家可歸的流浪漢，就塞他一大包糧食衣服。

他又拿出自己省下的布料，裁製了大量冬衣，在寒冷的臘月裡，一家一家送給凍得發抖的貧戶。若是窮苦百姓死了無力殮喪的，他還爲其準備棺木。而這一切措施，都是暗地裡進行，他並不是要博得人們誇讚『太子仁德』的美名。

梁武帝信佛，昭明太子的母親丁貴嬪也跟著信佛。因爲過分刻苦，營養不良，長久下來，體力不支，病倒在床。

昭明太子一聽説母親病了，立刻趕到永福省照料。他朝夕侍候，眞正做到衣不解帶，每一碗藥都是他親自端給丁貴嬪，扶著她的肩餵下去的。

但是，昭明太子的一切努力，並沒有挽救丁貴嬪的性命。當丁貴嬪過世以後，昭明太子一連昏倒數次，出殯以後，更是連水都不肯喝一口，每天哭得昏天黑地。

梁武帝知道這個消息，派了中書舍人顧協宣旨道：『如果一個人不能忍受父母去世，以至於傷害了身體，這等於是不孝順。你母親去世了，但是我還健在，你這樣做就是不孝順。』

昭明太子接到命令，只好勉強進食，但也不過一天喝一碗麥粥而已。梁武帝又再次下勅：『聽說你吃得很少，身體衰弱，我本來沒有什麼病痛，因爲你如此，胸裡彷彿塞了一塊東西，也開始不舒服了。你趕快多吃一些，不要我爲你掛心。』

儘管梁武帝一再下詔，但是昭明太子過於悲痛，毫無胃口，吃不下任何東西。他本來體格壯健，腰帶十圍，如今卻瘦得連一半都不到。他上朝時，臣子們看了都不禁為之落淚。

昭明太子會讀書，卻並不是書呆子，梁武帝曾經要昭明太子代爲處理國家政務，各機關的公文奏章都送給昭明太子批閱，昭明太子不慌不忙，每天把堆滿辦公桌上的公文一一細閱批示。

如果公文有錯誤或不妥當之處，昭明太子會指出錯誤之所在，或者分析那些地方不妥當，要求承辦人改正，却從不責罰任何人。對於重大刑案判決送到昭明太子面前，昭明太子總是從輕處罰，所以，人們都稱讚昭明太子仁慈。

昭明太子在文學方面極有見地，爲了糾正人們對純文學的觀念，特別搜集了有代表性的優良文章，編成一部書，共爲三十卷，書名稱爲《文選》，後人則稱之爲《昭明文選》，表示這是昭明太子所編的。這部書是漢代以後文章佳作的總滙，是中國上古文學的精華作品。

在梁武帝中大通三年，昭明太子三十一歲時，正是江南採蓮季節，他乘坐小船在湖上採蓮，一不小心翻倒溺於水中。後來，雖被打撈救起，卻因而染上了重病。

他惟恐梁武帝知道了會掛心，不准左右把消息呈報上去，一直到病情轉惡，還是堅持不讓父親知道。他哭著說：『你們怎麼忍心讓父王知道我快死了？』不久以後便與世長辭了。

聽說昭明太子英年早逝，京師的男男女女奔走相告，街上處處可見人們哭成一團。昭明太子雖然只活了短短的三十一年，但他的昭明文選卻永垂不朽。

閱讀心得

【第176篇】最昂貴的瞌睡。

自從苻堅在淝水之戰失敗以後，北方陷於長期的分裂。到了南方的劉裕篡晉，建立宋，北方鮮卑種族的拓拔氏也統一北方，成爲南北對峙的局面。

鮮卑的拓拔氏本來是個遊牧民族，因爲中原大亂，邊境空虛，拓拔種族便由漠北移民到了邊疆，定都平城，建立宗廟，營造宮室，自稱爲魏，歷史上稱爲北魏。慢慢的由遊牧民族變爲農耕民族。

拓拔魏統一北方是在太武帝時代，太武帝具有雄才大略，很能打仗。他的母親杜氏是漢人，所以他是胡漢雜種；可是太武帝從小受鮮卑教育，且前前後後娶了三個皇后又都是胡人，因此自認爲胡人。

鮮卑族本身沒有文化，既然在中華版圖上建國，不能不適應中華的環境。太武帝在始光三年建太學，拜孔子，已開始有漢化的趨勢。

前面說過，南北朝時代佛教盛行，而且是由北方往南方傳的。當太武帝初起兵時，對佛教十分尊敬，在他的軍隊經過佛寺時，他會大聲的喊口令：『敬禮！』所有的兵士都要向僧寺敬禮。但是後來他卻排佛得厲害。

爲什麼會有一百八十度的轉變呢？原因之一，是許多人民藉著出家逃避兵役，逃避賦稅，反正當和尚不過唸唸經、掃掃地，十分輕鬆。如此一

來，國家財政上少了賦稅，軍事上少了兵源。

其次，他聽了道士的話，道士尊稱他爲『承天應命的眞君皇帝』，意思是說，他天生的應該當皇帝，否則不合天意。太武帝聽了心裡很受用，也開始信道教，其實他並不懂道教的教義。

自從太武帝迷上了道教以後，三天兩頭召集諸子及朝臣集會，說是『朕要爲你們說道教的教義。』

太武帝每次一講下來總是又臭又長，大家都聽得很無趣，也不耐煩，可是誰敢表現出不耐煩的樣子，那可是大不敬啊，於是有一次太武帝正在口沫橫飛，講得連自己都感動萬分，卻看見毗陵王拓拔順竟然在打瞌睡，伸懶腰。

太武帝氣壞了，惡狠狠地瞪著拓拔順，拓拔順渾然不覺，口水流在嘴邊，還呼呼地打鼾，看樣子，睡得挺甜的，還伸長了一條腿哩。

聽講的朝臣們發現太武帝怒容滿面，大家都望著拓拔順，心裏爲他緊張，却又不敢叫醒他。太武帝清一清喉嚨，特別把嗓門提高，希望驚醒拓拔順，沒有想到拓拔順不但繼續睡，嘴角的口水愈流愈長，似乎好夢正酣。

這下子，太武帝不能再忍耐了，他心想：『這簡直沒有把我這個皇帝放在眼裏嘛。』大喝一聲：『拓拔順，你睡醒沒有？從現在開始，你已不再是毗陵王了。』

就這樣，毗陵王一個瞌睡丟掉了王位，這恐怕是歷史上最昂貴的一個瞌睡。

太武帝不但自己信仰道教，還要強迫全國人都信。他尊奉嵩山道士寇謙之爲天師，並且在首都平城的東南設立了一個天師道場。道壇有五層之高，裡面養了一百二十個道士，由國家每個月供給衣食。太武帝又蓋了一個『靜輪天宮』，直插雲霄，它高到聽不見地面雞犬之聲，太武帝認爲如此可以上接天神。後來，他更改年號爲太平眞君元年，說這是『順應天意』。至於佛教，太武帝下令禁止，稱之爲『夷狄之教』。其實此時的道教只是講一些符籙、咒水、化金、長生之術，沒多大道理。可是投太武帝之所好，於是，太武帝成爲道教的虔誠信徒。

到了太平眞君五年，太武帝聽說貴族王公家裡奉了不少沙門和尚，藉此逃避兵役。當然，也不納稅。太武帝大怒，下令：『把這些沙門全部捉到官府裡來，哪一個王公貴族敢抗命，朕要他的腦袋。』一時之間，許多和尚都遭殃（沙門就是和尚）。

到了太平眞君七年時，關西地方胡人發生叛亂，太武帝派兵平亂。亂事平定以後，太武帝軍隊經過西安，看見一座廟宇，他便走進去休息休息。

忽然間，太武帝在一個轉角處，發現亮晃晃的金光。他走近一看，伸手一掏，赫然竟是一把利劍。太武帝奇怪道：『咦，出家人不殺生，要這些武器幹什麼，莫非這廟裡還有其他刀劍？』

太武帝一聲令下：『搜！』衛士們排開正在唸經的和尚，在廟裡大事搜索。竟然給他們找到了許多密室，每一間密室中都堆滿了刀劍利刃，還有幾大箱的黃金。

『這些是幹什麼用的？』太武帝氣壞了，大聲地指責和尚，『明明是準備造反，哼！幸虧被我發現了。』

他本來就對佛教抱有反感，如此一來更認定佛寺藏奸，沙門有反動嫌疑，所有和尚都不是好東西。下旨禁佛教、毀寺塔、焚經像，殺光天下沙門，先在長安實施，而後推行各地。幸而太子拓拔晃是個佛教徒，事先暗中通知各地沙門，趁早逃亡藏匿，收好佛像。然而魏境之中的佛塔，全部都被毀棄，成為佛教的一場空前浩劫。太武帝的消滅佛教，佛教界視為『三武之禍』的第一件事，另外兩位企圖消滅佛教的皇帝，是北周武帝與唐武宗，正好這三位滅佛的皇帝，他們的稱號上都有『武』字，所以被稱為『三武之禍』。

在太武帝去世以後，佛教又重新擡頭，而且復興後的佛教比以前更爲興盛。

閱讀心得

【第177篇】

魏孝文帝巧計遷都。

前面說過，北魏太武帝信仰道教，把佛教貶為『夷狄之教』。但是到了他的孫子拓拔濬時，不但恢復了佛教，而且親自拿起了剪刀，把五個人的頭髮剃個精光，到廟裡去當和尚。各地的廟宇紛紛修復，我國歷史上最著名的雲崗石窟就是在這段時期內興建的。

以後又傳了幾代，到了北魏孝文帝。孝文帝的母親馮太后是個漢人，所以他漢化很深，自小要當一個漢人皇帝，他也是個佛教徒。

北魏孝文帝從小喜歡親近書本，手不釋卷。諸子百家都讀得十分透徹，尤其對莊子很有研究，詩賦銘頌都作得極好。而且他作文章不是自己寫，忽然靈感來了，馬上口授，旁人用筆記下，記完以後，就是一篇妙文，連一個字都不必改。以前說過的曹操父子、梁武帝父子，都是以才學著名的君主，但他們都是漢人，北魏孝文帝本是鮮卑人，有這種成績更是不容易。在他親自聽政以後，首建明堂太廟，議訂禮樂，祭祀堯、舜、禹、湯、周公，並且尊稱孔子是『文聖尼父』。

因爲他仰慕華風，深深以爲現在的首都平城位置過於偏僻，不適合作爲首都，最好搬到有深厚文化氣息的洛陽。

同時，平城的氣候寒冷，又沒法通漕運，實在不適合作爲政教中心。

如果北魏孝文帝只想統一北方，也就可以勉強湊合，但是他很想進攻南朝的齊，這樣，洛陽就適合得多。

北魏孝文帝想要遷都的主意一提出，馬上遭到大家的反對。老臣們都認爲平城住得好好的，爲什麼要遷移？一般的老百姓也不贊成，他們交頭接耳道：『我們的財產、帳篷什麼的，都很難搬動，還有牛啊、羊啊，長途跋涉下來，恐怕要死了一半。有錢人還好，窮苦人家怎麼辦？』再加上大多數的人都是戀舊懷鄉的，因此很捨不得遠離平城。

但是，孝文帝非常嚮往洛陽，洛陽是我國歷史名都，文化水準高，且又經濟豐厚，便於經略四方。這時，又有臣子上奏說：『以前在明元帝（太武帝的父親）時代，曾經想把首都從平城搬到鄴城，結果崔浩反對，因而作罷，皇帝難道忘了這件事嗎？』

崔浩當時勸明元帝道：『國家遷都鄴城，可以拯救今年的饑荒，卻並非長久之計。我們鮮卑人居住在廣大的沙漠之中，號稱牛毛之眾，到底有多少人，多少畜牧，誰也沒有算過。總之，人數並不多。如果搬到鄴城去，以有限的人口，必定住不滿，而且水土不服，死傷大半，老百姓一定沮喪萬分。北方的敵國如屈丐、蠕蠕，也會乘機攻打咱們。』

而且，崔浩還說：『如今居住在北方，萬一山東有什麼變化，我們騎上快馬，驅馳如飛，老百姓望塵震服，誰還會去計算到底有多少人馬？這才是定國安邦之道。』

孝文帝知道此時如果宣佈遷都，一定會遭到阻力。於是，他和拓拔宏、拓拔澄定下一個計謀，宣稱要大舉南征。

太和十七年，北魏孝文帝親自點了三十萬兵騎，從平城出發南下。九月，軍隊開到了洛陽。將士們因爲長久沒有用兵，累得人仰馬翻，對南征缺乏興趣。

剛好這時洛陽天天大雨傾盆，軍隊開拔不得，窩在帳篷裡又溼又煩，就更不願意再前進了。於是一個個前來叩諫，央求停止遠征，回去算了。

孝文帝正好利用這個機會宣諭道：『兵行中途，哪裡可以無功而還？如果不願意南征，可以先遷都於此，以後再作平南之計。』

衆人聽到這個消息，拍手叫好，跪下來喊『萬歲』。大夥實在懶得再動了，卻不知中了孝文帝之計，就此定都洛陽。

孝文帝一面派人回平城告諭百姓，一面開始營建新都，自己則留在鄴城指揮一切。到了第二年，北魏孝文帝把北魏的文武百官全部遷到了洛陽。

在這段時期左右，北魏有兩個臣子穆泰、陸叡兩人對遷都極不贊成。他們商議道：『如今遷都洛陽似乎已成定局，此爲不智之舉，我們不如廢掉皇帝，另外擁立陽平王當皇帝，一了百了。』於是他們準備發動政變，結果被孝文帝發現，兩人都賠了老命。

遷都到洛陽以後，許多鮮卑人還是懷念老家平城。太子拓拔恂正是其中之一。

他奉命駐守金墉。有一天，忽然間，騎上快馬直奔北方，說是『河南夏天太熱，簡直受不了。』結果被攔阻下來。北魏孝文帝就以太子私自逃亡的理由，把太子廢爲庶人（庶人是平常百姓之意），不久，更將太子賜死。

閱讀心得

閱讀心得

閱讀心得

閱讀心得

歷代・西元對照表

朝　　代	起迄時間
五帝	西元前2698年～西元前2184年
夏	西元前2183年～西元前1752年
商	西元前1751年～西元前1123年
西周	西元前1122年～西元前 771年
春秋戰國(東周)	西元前 770年～西元前 222年
秦	西元前 221年～西元前 207年
西漢	西元前 206年～西元 8年
新	西元 9年～西元 24年
東漢	西元 25年～西元 219年
魏(三國)	西元 220年～西元 264元
晉	西元 265年～西元 419年
南北朝	西元 420年～西元 588年
隋	西元 589年～西元 617年
唐	西元 618年～西元 906年
五代	西元 907年～西元 959年
北宋	西元 960年～西元 1126年
南宋	西元 1127年～西元 1276年
元	西元 1277年～西元 1367年
明	西元 1368年～西元 1643年
清	西元 1644年～西元 1911年
中華民國	西元 1912年

國家圖書館出版品預行編目資料

全新吳姐姐講歷史故事. 7. 西晉－南北朝/吳涵碧著. --初版.--臺北市；皇冠，1995〔民84〕
面；公分（皇冠叢書；第2473種）
ISBN 978-957-33-1217-8（平裝）
1. 中國歷史

610.9　　84006878

皇冠叢書第2473種

第七集【西晉－南北朝】

全新吳姐姐講歷史故事〔注音本〕

作　　者—吳涵碧
繪　　圖—劉建志
發 行 人—平雲
出版發行—皇冠文化出版有限公司
台北市敦化北路120巷50號
電話◎02-27168888
郵撥帳號◎15261516號
皇冠出版社(香港)有限公司
香港銅鑼灣道180號百樂商業中心
19字樓1903室
電話◎2529-1778　傳真◎2527-0904
印　　務—林佳燕
校　　對—皇冠校對組
著作完成日期—1992年01月01日
香港發行日期—1995年09月25日
初版一刷日期—1995年10月01日
初版二十九刷日期—2021年05月
法律顧問—王惠光律師

讀者服務傳真專線◎02-27150507
電腦編號◎350007
ISBN◎978-957-33-1217-8
Printed in Taiwan
本書定價◎新台幣150元/港幣45元